Bro a Bywyd

Waldo Williams

Golygydd/James Nicholas

Cyhoeddiadau Barddas 1996

Rhagair

'Bro a Bywyd' Waldo. Ni wn i am yr un bardd arall y mae bro a bywyd wedi plethu i'w gilydd mor annatod ag yn achos Waldo. Dywedodd unwaith: 'Mae cynefin pob bardd yn bwysig iddo'.

Tir ei gynefin yw maes ei fyfyrdod. Yno yr adnabu ei Gymru a'r byd, yno y cafodd brofiadau personol mawr ffurfiannol, yno yr oedd ffynhonnell ei weledigaeth, oddi yno y sugnodd nerth angenrheidiol wrth iddo wneud ei safiadau, ac o'r tir hwn y daeth y canu mawr.

1

1. Mynyddoedd Preseli.

Mur fy mebyd, Foel Drigarn, Garn Gyfrwy, Tal Mynydd,
Wrth fy nghefn ym mhob annibyniaeth barn.

2

3

4

5

2. Dafy Wiliam, Rhosaeron, tad-cu Waldo, Dafy Postman.

3. Azariah Price, Tyn-y-Gwndwn, Brynaman. Hen dad-cu Waldo. Priododd John (brawd Syr Henry Jones) Margaret Price, merch Azariah Price ac Angharad née Williams.

4. Y tri brawd: William, Henry a John Jones.

> Ynof mae Cymru'n un. Y modd nis gwn.
> Chwiliais drwy gyntedd maith fy mod, a chael
> Deunydd cymdogaeth – o'r Hiraethog hwn
> A'i lengar liw; a thrwy'r un modd, heb ffael,
> Coleddodd fi ryw hen fugeiliaid gynt
> Cyn mynd yn dwr dros war y Mynydd Du,
> A thrinwyr daear Dyfed.

'Cymru'n Un'

Dyma a ddywed Syr Henry Jones yn *Old Memories* am ddyfod y tri brawd o Langernyw i Frynaman.

'It was in the early part of the year 1873 that I took charge of the Elementary School at Brynaman. I was then twenty seven years of age.

I was full of enthusiasm, both for education in general and for my own office. The proof of this was convincing; for on my way to Brynaman to take charge of the school, both of my elder brothers met me at Chester; and, as we all three sat on a bench in the public park there, I persuaded them both to give up their situations as head-gardeners and follow me to Brynaman in order to commence their studies. For some time the three of us lodged together at the house of the minister of the Independent chapel. But after some months, William found the elementary studies irksome; he returned to his calling and became the head-gardener of the Godsalls of Iscoed Hall, near Whitchurch, Shropshire. John stayed with me much longer.'

6

7

5. Angharad Elizabeth Williams née Jones – Mam Waldo.

> I'w phyrth deuai'r trafferthus
> A gwyddai'r llesg ddôr ei llys.
> Gŵn sgarlad Angharad oedd
> Hyd ei thraed, o weithredoedd.
>
> *'Angharad'*

6. J. Edwal Williams – tad Waldo.

7. *Meillion a Mêl Gwyllt o Faes Gwilamus.*

William Williams (Gwilamus) 1867-1920.
Ewythr Waldo, brawd i'w dad – meibion David (Dafy Wiliam) a Martha Williams, Rhosaeron, Clunderwen.

'Nid dyn cyffredin oedd Gwilamus. Mewn llawer ystyr yr oedd yn ddyn mawr; ymhob ystyr yr oedd yn ddyn ar ei ben ei hun. Yr oedd ei wreiddioldeb yn ddiarhebol, ac am a wyddom, ni cheisiodd efelychu neb erioed mewn unrhyw gyfeiriad. Safodd yn gyndyn ar ei wadnau ei hun drwy ei oes.'

D. Owen Griffiths, Aberhonddu

(gweler 'Ei Ewythr Gwilamus', Bobi Jones, *Y Genhinen* 21/3, Haf 1971, a *Cyfrol Deyrnged Waldo Williams*)

8

8. Angharad, mam Waldo, ym Mhenrallt Lodge, Bangor, gyda'i mam a'i thad ychydig cyn ei phriodas, Mehefin 2, 1900.

9. Tystysgrif geni Waldo.

10. Waldo gyda 'Naine' (llun a dynnwyd yn Hwlffordd). Cafodd 'Naine' yn ôl Dilys, chwaer Waldo, ddylanwad mawr ar y teulu.

11a. Mwynlan a Morfydd y tu allan i Benrallt Lodge, Bangor, cartref 'Naine' a 'Taidie'.

11b. Cerdyn oddi wrth Mwynlan a Morfydd i'w mam.

9

Pursuant to the Births and Deaths Registration Acts, 1836 to 1874.

Registration District HAVERFORDWEST

1904. Birth in the Sub-District of HAVERFORDWEST in the County of PEMBROKE

Insert in this Margin any Notes which appear in the original entry.

No.	When and Where Born.	Name, if any.	Sex.	Name and Surname of Father.	Name and Maiden Surname of Mother.	Rank or Profession of Father.	Signature, Description and Residence of Informant.	When Registered.	Signature of Registrar.	Baptismal Name, if added after Registration of Birth.
429	Thirtieth September 1904 Board School Prendergast Haverfordwest U.D.	Waldo Goronwy	Boy	John Edwal Williams	Angharad Elizabeth Williams formerly Jones	Schoolmaster	J. E. Williams Father Board School Prendergast Haverfordwest	Eleventh November 1904	E. H. Ellis Registrar.	

I, John E. H. Rogers Superintendent Registrar for the District of HAVERFORDWEST in the County of PEMBROKE do hereby certify that this is a true copy of the Entry No. 429 in the Register Book of Births No. 115 for the above-named Sub-district, and that such Register Book is now legally in my custody.

Witness my Hand this 18th day of May, 1921.

John E. H. Rogers
Superintendent Registrar.

The Act 3 & 4 Geo. V., cap. 27, section 3, enacts that "FORGERY of the following documents, if committed with intent to defraud or deceive, shall be FELONY and punishable with Penal Servitude for any term not exceeding fourteen years:—Any register or record of Births, Baptisms........ Marriages, Deaths, Burials .... which now is, or hereafter may be, by law authorised or required to be kept in the United Kingdom, relating to any Birth, Baptism........ Marriage, Death, Burial........or any part of any such Register, or any Certified Copy of any such Register, or any part thereof."

10

11a

11b

POST CARD

This space may be used for Communication | For Address Only.

Dear Mam
We all wish
you many happy
returns of the day
love from all to all
Mwynlan & Morvydd

Mrs Williams.
School House.
Mynachlogddu
Glynderwen. S.O

12

13

12. Mam a thad Waldo, gyda Waldo, Mary a Morfudd.

13. Morfydd, Mary a Waldo.

14. Llun a dynnwyd yn union ar ôl marwolaeth tad Waldo, Mai 1908. Gwladys Llywelyn â Roger yn ei chôl. Nesaf ati y mae Mary a Waldo a Morfydd yn y rhes flaen.

15. Awst 1906. Yn y llun y mae Gwladys, Mary, Annie Vaughan, Morfydd, Waldo a Mwynlan.

16. Llun o'r teulu – tua'r un adeg â 17.

17. Llun o'r teulu a dynnwyd gan Waldo, Awst 1928. Yn y llun (o'r chwith i'r dde): Ewythr Lewis, Dilys, Roger, Angharad (mam Waldo), Gwladys, Jack, Mary a thad Waldo.

14

15

16

17

18

19

18. Bryn, David John Morris (arlunydd y pren ar glawr *Dail Pren*) a Waldo.

Yr oedd gan D. J. siop Fferyllydd (Medical Hall) wrth bont y rheilffordd yng Nghlunderwen.

19. Gwilym James.
Yr oedd Gwilym James yn un o ffrindiau gorau Waldo yn y Coleg yn Aberystwyth.
Ganed Gwilym James yn Griffithstown, Sir Fynwy, ym 1905, ond yr oedd gwreiddiau ei rieni yn Abergwaun. Bu'n Athro Saesneg ym Mhrifysgol Bryste 1942-52, ac yn Is-ganghellor Prifysgol Southampton 1952-65. Cyhoeddodd nifer o gyfrolau yn Saesneg, rhai ohonynt yn ymwneud â'r beirdd Rhamantaidd. Bu farw yn Rhagfyr 1968. Bu ef a Waldo yn gyfeillion oes.

20. Waldo a Dilys.

21. Waldo a Nan (Davies) ym Mhlascrug, Aberystwyth.

22. Waldo, Nan a Dilys. Plascrug (Aberystwyth).

20

21

22

23

24

23. Waldo a Selwyn Jones.

24. Selwyn Jones.
(Yr oedd Selwyn Jones yn gyd-fyfyriwr i Waldo yn Aberystwyth.)

25. J. Edwal Williams wrth fôn y goeden!

26. Ysgol Ramadeg Arberth, Gorffennaf 1923. Trip yr ysgol i Saundersfoot. Mae Mr John Morgan y Prifathro – ar ei dymor olaf yn yr ysgol – yn y rhes flaen.

27. Waldo a Tom Philpin.

28. Gwladys Llywelyn.

25

26

27

28

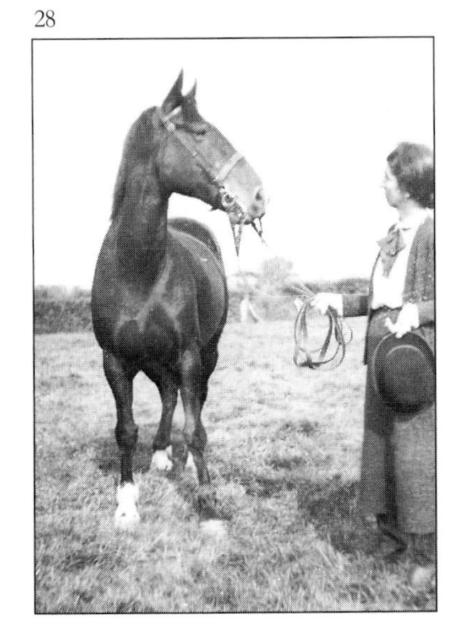

29

29. Waldo ar y traeth. Yr oedd Waldo yn nofiwr egnïol. Cofiwn amdano ar noson hyfryd o Fedi, 1959, yn ymdrochi'n y môr ar draeth Dinbych-y-Pysgod cyn cyflwyno neges Plaid Cymru am y tro cyntaf yn y dref honno.

30. Cyhoeddwyd y gerdd 'Yr Iaith a Garaf' yn *The Dragon*, Tymor Gŵyl Fihangel 1927. Darganfuwyd y gerdd gan B. G. Owens yn *The Dragon*.

Pan oeddwn blentyn seith mlwydd oed
dy lais a dorrodd ar fy nghlyw;
fe lamaist ataf, ysgafn-droed,
ac wele, deuthum innau'n fyw.

O, ennyd fy llawenydd mawr!
ni buaswn hebddo er pob dim;
cans trwy'r blynyddoedd hyd yn awr
ti fuost yn anwylyd im.

Dwysach wyt ti na'r hwyrddydd hir
a llonnach nag aderyn cerdd,
glanach dy gorff na'r gornant glir
ystwythach na'r helygen werdd.

'Does dim trwy'r byd a ddeil dy rin,
'does hafal it ar gread Duw,
a chlywaf wrth gusanu'th fin
benllanw afiaith pob peth byw.

Dwysa fy nghariad gyda'th glwyf,
a dynion oer, dideimlad, sych
a ddywed im mai ynfyd wyf:
mai marw a fyddi dan dy nych.

O, am dy ddwyn o'th wely claf;
o, na chawn nerth i'm braich gan Dduw,
ond er fy ngwanned tyngu wnaf
ni chei di farw tra bwyf byw.

31

32

31. Idwal Jones, Llanbedr-Pont-Steffan, cyd-letywr Waldo yn 58, Cambrian Street, Aberystwyth. Pan ddaeth Waldo'n fyfyriwr i Aberystwyth yr oedd Idwal Jones yn Brifathro Ysgol Gynradd Pont-ar-Fynach. Daethai i dreulio'r penwythnosau yn 58, Cambrian Street gan fod cyfaill iddo, John Llwyd Jones, yn aros yno. Tyfodd cyfeillgarwch mawr rhwng Waldo ac Idwal. Byddent yn cyd-gyfansoddi limrigau, dychangerddi, cerddi digri, a pharodïau i'r graddau ei bod yn anodd gwybod pa un ohonynt yw awdur rhai gweithiau o'r cyfnod hwn. Cychwynnodd Waldo ganu awdl ar destun 'Yr Argae', ar gyfer Eisteddfod Genedlaethol Ystradgynlais, ond ni chwblhawyd hi. Ond cyhoeddodd ddarn ohoni (sy'n gân i Idwal – lle y mae ei hiwmor yn argae) yn *Dail Pren*.

Gyfaill, mi'th gofiaf,
Dy ben heulwen haf
A glyn y gaeaf galon gywir.
Ym mhob dyn mab dau
Gwelit y golau
Ac yng nghraidd y gau
angerdd y gwir.

33

34

35

32. Clawr *Cerddi Digri*, Idwal Jones.

33. Waldo yn fyfyriwr yng Ngholeg Prifysgol Cymru, Aberystwyth.

Y mae Waldo yn y canol yn y rhes flaen, Gwilym James ar y chwith eithaf yn y rhes flaen ac Iwan Morgan (Llywydd y Myfyrwyr 1927-28 a golygydd *The College by the Sea*) y tu cefn i Waldo.

34. Pwyllgor y Gymdeithas Geltaidd, Coleg Prifysgol Cymru, Aberystwyth 1924-25 (Waldo yn y rhes gefn).

35. Cyngor y Myfyrwyr, Coleg Prifysgol Cymru, Aberystwyth.

36

37

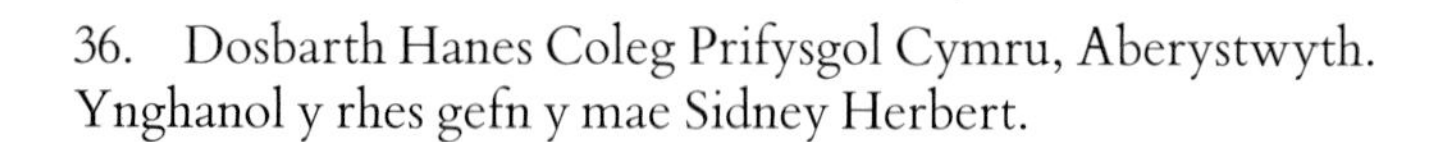

36. Dosbarth Hanes Coleg Prifysgol Cymru, Aberystwyth. Ynghanol y rhes gefn y mae Sidney Herbert.

37. Waldo, gyda'i ddosbarth – Ysgol Gynradd Solfach, Mai 27, 1929.

Saif Waldo ar y chwith yn y rhes gefn. Yn ail o'r dde yn y rhes flaen y mae Gwyn Thomas, Lochfân. Tyfodd Gwyn, neu Gwyn Lochfân, yn un o gymeriadau mwyaf gwreiddiol yr ardal. Mynych y bu'r athro a'r disgybl yn cyfeirio at gampau'r blynyddoedd hynny.

Flynyddoedd yn ddiweddarach (tua dechrau'r Chwedegau) bu Gwyn yn 'athro-dros-dro' yn Ysgol Fodern Eilradd Hwlffordd, pan oedd Bryn Griffiths yn Brifathro yno. Yn anffodus collodd ei waith yno. Teimlodd Waldo'n flin iawn am hyn, ac fe aeth i weld Idris Richards A.E.M. a oedd yn byw, bryd hynny, yn Aberdaugleddau, a chanddo gyfrifoldeb dros y Weinyddiaeth Addysg yn Sir Benfro. Ond y cwbl a gafodd gan yr Arolygydd: "Y mae'n flin iawn gennyf am Gwyn".

38

39

38. Waldo gyda'i ddosbarth – Ysgol Treddafydd 1934-35(?).

39. Waldo gyda'i ddosbarth o ddisgyblion – Ysgol Gynradd Dinas Cross.

40. Waldo yn Ysgol Haf Harlech.

41. Ysgol Basg, Y Cilgwyn, Castellnewydd-Emlyn, 1951.

40

41

42

43

42. Waldo a Rhys Dafis Williams yn Ysgol Haf Harlech, Awst 1953 – y tu allan i'r Crown Lodge, Llansadwrn. Yr oedd Rhys Dafis Williams yn ŵr o ddiwylliant eang. Y mae llawer yn cofio amdano fel cymeriad ffraeth a hwyliog ar deithiau Adran Efrydiau Allanol Coleg Prifysgol Cymru, Aberystwyth, o dan arweiniad Alwyn D. Rees.

43. Efrydiau Allanol.

44

45

46

POST CARD

For Inland Postage & some Foreign Countries this space may now be used for communication

Leslie Mckenzie
(He's ne'er in a frenzy)
In 1912
Deep may he delve
And fortunate be
Waldo.

The Address only to be written here.

Master L. Mckenzie,
Victoria Place
Haverfordwest

47a

47b

44. Waldo gyda chyfeillion agos, J. Tysul Jones a Mair, Lluest, Castellnewydd-Emlyn, Hydref 24, 1960. Rhoddodd Tysul Jones gymorth amhrisiadwy i olygydd y gyfrol deyrnged *Waldo* wrth iddo gasglu'r deunydd ar ei chyfer.

45. Waldo gyda merch Tysul a Mair yn Lluest, Castellnewydd-Emlyn, Hydref 24, 1960.

46. Un o'r penillion cyntaf a gyfansoddwyd gan Waldo. Anfonodd y cerdyn hwn pan oedd yn 7 mlwydd oed at ei gyfaill Leslie Mckenzie, Hwlffordd.

47(a). Ysgol Prendergast, Hwlffordd (*c.* 1918), lle bu J. Edwal Williams, tad Waldo, yn Brifathro cyn symud i Fynachlog-ddu ym 1911.

47(b). Ystafell ddosbarth yn Ysgol Prendergast (tua 1914).

48

48. Tŷ Cwrdd Hill Park, Bedyddwyr Saesneg Hwlffordd. Yma yr oedd y Parchedig John Jenkins (tad Willie Jenkins) yn weinidog pan oedd J. Edwal Williams, tad Waldo, yn Brif-athro yn Ysgol Gynradd Barn Street. Yr oedd y ddau yn gyfeillion agos ac yn aelodau o'r Blaid Lafur Annibynnol. Bu'r Parchedig John Jenkins yn weinidog ar yr Eglwys am ddeugain mlynedd.

49. William John Jenkins, mab y Parchedig John Jenkins.

Cafodd y gŵr unigryw hwn ddylanwad mawr ar Waldo – yr oedd edmygedd y bardd ohono yn ddi-ben-draw. Bu ei enw 'Willie Jenkins, Hoplas' gyda'r mwyaf adnabyddus yn y Sir am dros ddeugain mlynedd. Bu'n athro ysgol ond gyda dyfod y Rhyfel Byd Cyntaf yr oedd yn wrthwynebydd cydwybod, ac, o ganlyniad, carcharwyd ef am dair blynedd. Ar derfyn y Rhyfel, ar ôl iddo gael ei ryddhau o garchar, dychwelodd i Sir Benfro, gan gychwyn ffermio Hoplas gyda'i frawd. Ef oedd ymgeisydd seneddol cyntaf y Blaid Lafur yn

49

50

Sir Benfro, gan ymladd dros ei blaid mewn pum etholiad cyffredinol – 1922, 1923, 1924, 1929 a 1935. Yr oedd yn areithydd ysgubol. Er nad enillodd y sedd (cododd y bleidlais Lafur o 9,703 ym 1922 i 12,341 ym 1935) heb ei waith arloesol prin y byddai Desmond Donnelly wedi ennill y sedd i Lafur ym 1950.

Bwriad Waldo oedd cyflwyno *Dail Pren* iddo, ond am ryw reswm ni fynnai'r hen wron mo hynny.

50. Y Parchedig John Jenkins, Hill Park, Hwlffordd.

51. Llwyd.

'"Tinc Taf a Chleddau" meddai Capel Als y tro cyntaf iddo glywed Llwyd yn pregethu, a da oedd y sylw er cymaint gwell fuasai iddo ddweud "Tinc Cleddau a Thaf." Ond beth yw hi? Gwaith hawdd fyddai cynnull nifer o enwau trwy sawl cenhedlaeth hyd hon i egluro'r ddelwedd: pwyslais ar agwedd ymarferol a chymdeithasol Cristionogaeth, sêl dros deyrnas Dduw ar y ddaear. Enwaf un, i gynrychioli'r traddodiad, nid pregethwr, ond mab pregethwr: William Jenkins yr heddychwr a'r Ymgeisydd Llafur gynt yn Sir Benfro. Pan godai ef i'w anterth ar y wedd ysbrydol yr oeddech yn clywed breichiau pob brawddeg yn codi'r ddaear i'r goleuni ac o'ch mewn hefyd ryw ias o'r tu hwnt i'r ddaear hon.'

'Y Parchedig E. Llwyd Williams', Waldo Williams, Seren Cymru, cyf. LXXXV1, rhif 5226

Mae'r holl iaith os marw yw Llwyd?
Nid yw brawddeg ond breuddwyd
A'r niwl oer ar y Waun lom
Os trengodd ystyr rhyngom.

'Llwyd'–Beirdd Penfro,
Gol. W. Rhys Nicholas

Darllenwyd y cywydd i Llwyd yng nghyfarfod coffa Llwyd a gynhaliwyd yn Rhydwilym.

51

52

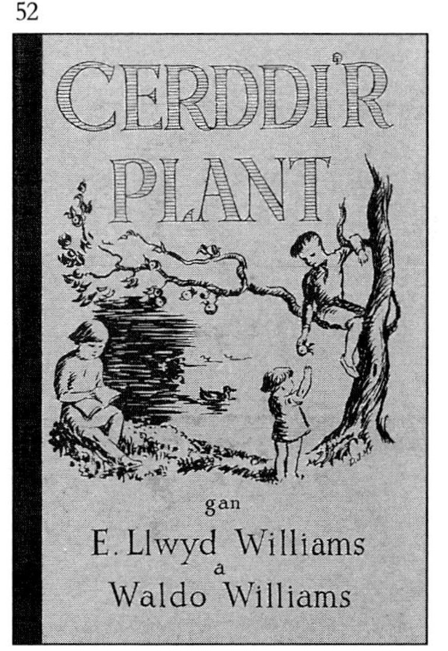

52. *Cerddi'r Plant*, llun o glawr y gyfrol o gerddi gan Waldo a Llwyd Williams.

53

53. Ysgol Gynradd Mynachlog-ddu, lle bu J. Edwal Williams yn Brifathro a Waldo'n ddisgybl. Tra oedd yn ddisgybl yn yr ysgol hon y dysgodd Waldo'r Gymraeg, nid yn gymaint y tu fewn i furiau'r dosbarth nac ar yr aelwyd gartref – (yr oedd ei fam yn ddi-Gymraeg) ond allan yn 'whare gyda'r plant'.

> Ac ar glosydd, ar aelwydydd fy mhobl –
> Hil y gwynt a'r glaw a'r niwl a'r gelaets a'r grug,
> Yn ymgodymu â daear ac wybren ac yn cario
> Ac yn estyn yr haul i'r plant, o'u plyg.

'Preseli'

54

54. 'Llandissilio British School'.

'I'r ysgol hon y daeth John Edwal Williams, tad Waldo, i ofalu amdanom ni yn ystod blynyddoedd y Rhyfel Byd Cyntaf. Yr oedd ef yn athro penigamp, yn ddisgyblwr llym ac yn heddychwr cadarn, ac ni chofiaf inni ganu na 'Rule Britannia' na 'God Save the King' o dan ei gyfarwyddyd ef. Hoffai blentyn bywiog mewn rhifyddeg, a gwn iddo anobeithio uwch fy mhen droeon, ond gwelais ei lygaid yn pefrio unwaith wrth ddarllen traethawd o'r eiddof. Credaf ei fod o ran patrwm ei feddwl yn llinach hen Anghydffurfwyr y fro ac yn rhyw fath o gyfuniad o'r Crynwr a'r Undodwr – yn Forgan Llwyd y cyfrinydd ac yn Robert Owen y sosialydd. Yr oedd ei briod, gwraig annwyl iawn, yn nith i Syr Henry Jones, yr athronydd. Mewn ymgom ag ef yn ei ddyddiau olaf, dywedodd wrthyf ei fod yn cyfrif gwaith pregethwr yn anodd, 'am ei fod yn rhaid iddo feddwl dros bobl eraill'. A bûm innau'n meddwl llawer tro uwchben y geiriau hyn.'

Y Parchedig E. Llwyd Williams, Crwydro Sir Benfro (Y Rhan Gyntaf)

55a

55(a) 'Penderfynwyd yn 1843 adeiladu tŷ-cwrdd wrth darddle afon fach Conyn a'i alw yn 'Blaenconyn' ar ôl enw'r fferm. Rhoes y Parch. Theo E. Thomas, perchen y fferm, ddarn o dir yn rhad a oedd yn ddigon helaeth i godi capel arno, a hefyd i gynnwys lle claddu.'

Hanes Blaenconyn, D. J. Michael, 1956

Dyma fel yr oedd tŷ-cwrdd Blaenconyn pan oedd Waldo'n byw adre yn Llandysilio a lle yr addolai'r teulu.

55(b) Tŷ-Cwrdd Blaenconyn – fel y mae heddiw. Codwyd y capel newydd ym 1935.

55b

Dear Waldo. I have heard of the step you have decided to take. Joining a church is considered a momentous thing & I feel. I must write a few words. This step helps many to develop their High Life. On the contrary in some cases it seems to quench the sacred flame in the soul. Some are in bondage to externals & seem dominated by a delusion that the form & the name will serve as a refuge. or insurance or. passport in a low & unworthy sense. They have misunderstood religion taking it to be a thing of a day & a place, a hollow zeal for a denomination or a narrow Esprit de corps or [illegible] a routine observance of rites & ceremonies They take the sign for the real thing. These petty notions & narrow material aims have lowered the ideals of the Church & crippled its effectiveness for good.

Religion I have had glimpses of. is that which makes The Highest man a brother, Life a Sanctuary & the common deeds of life sacred by purity of motive, It makes a man sensible to the claims of justice upon himself & to all noble impulses; it also makes him tender at heart to the feelings of his neighbours through weakness.

57

HOREB, MYNYDD DUW

(Buddugol yn Eisteddfod Horeb, Maenclochog, Llungwyn, 1922).

Mynydd Horeb, lle bu Dyn
Gynt yn cwrdd â Duw ei hun:
O! yr undeb,—gwir gymundeb
Rhyngddynt ar y ddirgel ffin.
Teimlai dyn yr Ysbryd Byw,
Clywai guro calon Dduw;
Mewn unigedd, gyda'r Sylwedd,
Daear oedd, ai Nefoedd wiw?

Dwyfol dân, y dyddiau rhain,
Sy'n yr eithin ar y waun,
Ac yn dawel ar yr awel
Lleisiau nefol, distaw, main.
O am enaid byw y dydd
Cyn aeth wyneb Duw yn gudd
Pan siaradai gyda'n tadau
Seml eu calon, seml eu ffydd.

Crwydraist, Ddyn, o'r Horeb gwir,
Tyrd yn ol i'r Santaidd Dir
'Nol i deml y galon seml
Yno gweli Dduw yn glir.
Rhwyga furiau cul dy gell,—
Wele fro'r gorwelion pell
Tragwyddoldeb, Anfeidroldeb,
Byd yr eangderau gwell!

Waldo G. Williams.
Brynconin, Clynderwen (17 oed).

56. Llythyr a ddaeth i law drwy Dilys, chwaer Waldo, gyda'r nodyn canlynol ganddi:

'Cefais y llythyr hwn – copi llawysgrifen mam o lythyr 'nhad i Waldo – rhwng tudalennau ei Beibl hi ychydig fisoedd wedi marw Waldo.'

57. Ac yntau yn 17 oed bu Waldo'n fuddugol ar y gerdd 'Horeb, Mynydd Duw' yn Eisteddfod Horeb, Maenclochog, Llungwyn 1922. O ddarllen y gerdd hon, gwelwn fod thema presenoldeb Duw ymhlith dynion wedi ei gynhyrfu'n gynnar, ac i wedd ar y sylwedd sydd yma gael ei drin yn feistraidd ganddo yn 'Mewn Dau Gae', ac yntau ym mlynyddoedd ei aeddfedrwydd fel bardd.

58. Tŷ Cwrdd Rhydwilym – mam-eglwys Bedyddwyr Gorllewin Cymru. Corfforwyd Rhydwilym, ar Orffennaf 12, 1668.

Yr oedd gan Waldo feddwl uchel o bennill Llwyd i Rydwilym:

Yn Rhydwilym lle'r ymbletha
Gwaun a gallt a heol gul,
Afon Cleddau sy'n cyfeilio
Canu'r Saint o Sul i Sul.
Hon yw'r afon sy'n fy nilyn
Draw ymhell o'r gweundir llwm,
Nid â'r glust y clywaf heno
Sŵn yr afon yn y cwm.

Beirdd Penfro, Gol. W. Rhys Nicholas

58

59. Yr oedd Waldo a'r Athro Brinley Thomas, Caerdydd, yn gyfeillion mawr. Dyma ddyfyniad o lythyr yr Athro a yrrwyd i *Y Gadwyn*, Eglwys y Crwys, Caerdydd, o Berbley, Califfornia, Chwefror 1989, dyfyniad a ddengys gymaint o flaen ei oes yr oedd Waldo!

'Difyr ydyw sylwi mor anffurfiol a naturiol yw'r Americanwyr ieuanc yn y capel, yn enwedig yn eu gwisg. Nid oes y fath beth â siwt dydd Sul na siwt bob dydd o ran hynny. Deuant i'r cwrdd yn eu crysau T gorliwgar, eu *jeans* a'u sandalau neu *sneakers*. Gwrandawant yn astud ar y bregeth. Cofiaf i mi un adeg fod yn y capel mewn dillad braidd yn amhriodol. Pan oeddwn yn fyfyriwr yn Aberystwyth 'roedd yn arfer gennyf dreulio rhan o'r gwyliau gyda fy nghyfaill Waldo Williams yn ei gartref yn Llandissilio, Sir Benfro. Un dydd Sul 'roeddwn yn digwydd bod mewn 'plus fours' ac yn peidio â mynd i'r Ysgol Sul yng nghapel y Bedyddwyr, Blaenconin. "Alla'i ddim mynd i'r capel yn edrych fel hyn," dywedais. "Nonsens," meddai Waldo, "'rydym ni'r Bedyddwyr yn llawer mwy rhesymol na chi'r Methodistiaid Calfinaidd." O'r diwedd cytunais i fynd gyda Waldo i'w ddosbarth Ysgol Sul. Rhai munudau ar ôl eistedd i lawr dyma Waldo yn gosod darn o bapur yn fy llaw. 'Roedd wedi cyfansoddi'r englyn hwn:

Cawn yma economydd – yn trafod
Pob trefen diwinydd,
A'i gael yn ddigywilydd
Ym 'mhlus fours' ym mhlas y ffydd.'

60. Plant Ysgol Treddafydd, Abergwaun (rhwng 1930 a 1935) gyda'u hathro ar y dde yn y cefn.

59

60

61

62

61. 'Hoplas', cartref Willie Jenkins. I'r fferm hon yr aeth y Golygydd â Waldo ar ei ymweliad olaf â gŵr a edmygai'n ddirfawr – yn gynnar yn y Chwedegau. Erbyn hynny yr oedd yr hen wron wedi ei ddadrithio'n llwyr yng ngwleidyddiaeth Prydain – a'r Blaid Lafur – y bu'n gymaint lladmerydd iddi, wedi mynd 'ffordd yr holl ddaear'.

62.

> Un funud fach cyn elo'r haul o'r wybren,
> Un funud fwyn cyn delo'r hwyr i'w hynt,
> I gofio am y pethau anghofiedig
> Ar goll yn awr yn llwch yr amser gynt.

Gerllaw'r llecyn lle tynnwyd y llun hwn yr ysbrydolwyd Waldo i ganu'r gerdd adnabyddus 'Cofio'. Yr oedd yn aros yn 'Hoplas' gyda'i gyfaill Willie Jenkins, ac wedi mynd i nôl y da i'r buarth pan 'ddaeth' y gerdd iddo.

63

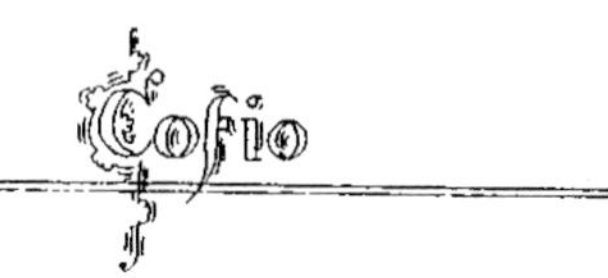

Cofio

Un funud fach cyn elo'r haul o'r wybren,
Un funud fwyn cyn delo'r hwyr i'w hynt,
I gofio am y pethau anghofiedig
Ar goll yn awr yn llwch yr amser gynt.

Fel ewyn ton a dyr ar draethell unig,
Fel cân y gwynt lle nid oes glust a glyw,
Mi wn eu bod yn galw'n ofer arnom —
Hen bethau anghofiedig dynol ryw.

Camp a chelfyddyd y cenhedloedd cynnar,
Anheddau bychain a neuaddau mawr,
Y chwedlau cain a chwalwyd ers canrifoedd
Y duwiau na ŵyr neb amdanynt 'nawr.

A geiriau bach hen ieithoedd diflanedig,
Hoyw yng ngenau dynion oeddynt hwy,
A thlws i'r glust ym mharabl plant bychain,
Ond tafod neb ni eilw arnynt mwy.

O, genedlaethau dirifedi daear,
A'u breuddwyd dwyfol a'u dwyfoldeb brau,
A erys ond tawelwch i'r calonnau
Fu gynt yn llawenychu a thristáu?

Mynych ym mrig yr hwyr, a mi yn unig,
Daw hiraeth am eich 'nabod chwi bob un;
A oes a'ch deil o hyd mewn cof a chalon,
Hen bethau anghofiedig teulu dyn?

64

63. 'Cofio'.

64. "Cwm Berllan, Un filltir" yw geiriau testun
Yr hen gennad fudan ar fin y ffordd fawr.

Gweld arwyddbost 'Rhos' a symbylodd Waldo i ganu'r soned 'Cwm Berllan'.

Mae hendre fy nghalon ar waelod y feidir
Na, gwell i mi beidio mynd yno, rhag ofn.

65. 'Mae 'na lawer iawn o'r caneuon yn ymwneud â Sir Benfro. Mae cynefin pob bardd yn bwysig iddo. Rown i'n cerdded lot pan o'n i'n ifanc, a'r golygfeydd o gwmpas yn golygu rhywbeth i mi.'

65

66

66. 'Nos Duw am Ynys Dewi'.

Ar y llecyn hwn ar dwyni Traeth Mawr y cloddiwyd olion eglwys a gysegrwyd i Sant Padrig, a nodir y fan gyda chofeb. Yn ôl traddodiad yr oedd yma garreg lle safodd Sant Padrig a gweld Iwerddon cyn cyrchu tuag yno. Ar ddiwrnod clir, gellir gweld mynyddoedd Wicklow o Garn Llidi, gerllaw. Bu'n fwriad gan Waldo ganu awdl i Sant Padrig a'i gyrru i gystadleuaeth y Gadair yn Eisteddfod Genedlaethol y Fflint ar y testun 'Yr Alwad'. Darllenodd lawer am Badrig ond ni chanodd yr awdl.

67. 'Mae hiraeth am weilgi ym Mhorth Maelgan'.

'Tŷ Ddewi'

Llun ar gerdyn post a anfonwyd gan Angharad Tomos. Dyma a ddywed

'Mae hiraeth am Weilgi ym Mhorth Maelgan'.

'Roeddem yn aros mewn tŷ fferm ochr arall i Garn Llidi echnos. Methu canfod Pen y Fan ar y map.'

Camgymeriad gan Waldo yw'r cyfeiriad at Ben y Fan. Pen y Maen sy'n ymestyn allan tu hwnt i Borth Maelgan. Yn ôl Waldo y mae Pen y Fan ym Mhencaer.

67

68.

Dyre mor bell â Dowrog
Yno, clyw, cei daenu clog.
Mae rhos lle gwylia drosom
Y glas rhith sy'n eglwys rhôm.

'Tŷ Ddewi'

Weun Dowrog. Byddai'r pererinion yn dod i Dyddewi o ddau gyfeiriad, y naill o'r Gogledd drwy Abergwaun a heibio i Weun Dowrog sydd ychydig y tu allan i'r ddinas, a'r llall o'r Gorllewin drwy Hwlffordd a heibio i draeth ysblennydd Newgwl. Yn y pennill uchod y mae'r bardd yn tybio bod y pererinion yn gorffwys ychydig cyn mynd i mewn i'r ddinas. Ar y gorwel gwelir y rhes cernydd sy'n nodweddu'r ardal, Carn Llidi, Carn Lleithr, Carn Perfedd, Carn Ffald a Charn Trelwyd.

68

69

69.

Ac yn syn ar derfyn dydd
Gwelwn o ben bwy gilydd
Drwy eitha Dyfed yn rhith dihafal,
Ei thresi swnd yn eurwaith ar sindal
Lle naid y lli anwadal – yn sydyn
I fwrw ei ewyn dros far a hual.

'Tŷ Ddewi'

70.

A thanaf y maith ymylwaith melyn,
Fe dry i'r glannau fodrwyog linyn,
Yno gwêl y tonnau gwyn – yn eu llwch
Dan eira'n harddwch o dan Drwyn Hwrddyn.

'Ty Ddewi'

Y mae Trwyn Hwrddyn yn gwahanu'r Traeth Mawr (ar y chwith) a Phorth Lleuog ar y dde. Gwelir Ynys Dewi y tu draw i'r swnt sy'n gwahanu'r Ynys oddi wrth y tir mawr. Ar y gorwel y mae creigiau'r Esgob a'r Clerigwyr.

70

71.

Ar gadernid Carn Llidi
Ar hyd un hwyr oedwn i.

'Tŷ Ddewi'

O ben y graig hon y cafodd Waldo un o brofiadau mwyaf dwys ei fywyd.

'Rown i 'di cael un profiad go ryfedd allan ar Carn Llidi rhyw brynhawn o haf, dw i'n cofion iawn – rhyw fis Medi oedd hi. Ambell waith rych chi'n eich teimlo'ch hunan yn dod yn un â'r wlad o'ch cwmpas. Ma' rhyw gymundeb rhyfedd iawn yn dod, a hwnnw 'dw i'n meddwl oedd un o'r cymhellion i fi sgrifennu 'Tŷ Ddewi'.'

Radio Cymru: Detholion o Raglenni Cymraeg y BBC. 1938-89, Gol. Gwyn Erfyl.

71

72

72. Traeth Newgwl.

Ond wele ar yr heol
Eirian daith dros fryn a dôl,
Feirch agwrdd y farchogaeth.
Gwaladr yw hyd Newgwl draeth.
Â gwayw ei henwlad a'i wŷr i'w ganlyn
I'w pader yn armaeth Pedr y Normyn
Er cyff Rhys, er coffa'r Rhosyn – yno,
A Duw a'u dalio wrth wlad y delyn.

'Tŷ Ddewi'

73

74

75

Tŷ Ddewi

I

Nos Duw am Ynys Dewi.
Daw hiraeth lleddf i draeth lli.
Llif ar ôl llif yn llefain
Ymysg cadernid y main.
Araith y cof yw hiraeth y cyfan,
Hiraeth am fro ar y gro a'r graean.
Mae hun fawr ym Mhen y Fan – a thrwyddi
Mae hiraeth am weilgi ym Mhorth Maelgan

73.

Hŷn na'i dŷ awen Dewi
A hwy ei saernïaeth hi.

'Tŷ Ddewi'

74. Clegyr Boia. Yn ôl traddodiad ar y clegyr hwn yr oedd gwersyll y pennaeth Gwyddelig Boia a wrthwynebai ddyfodiad Dewi a'r Brodyr i sefydlu'r fynachlog yng Nglyn Rhosin. 'Clegyr Boia' oedd ffugenw Waldo pan yrrwyd ei awdl 'Tŷ Ddewi' gan D. J. Williams i gystadleuaeth y Gadair yn Eisteddfod Genedlaethol Abergwaun, 1936.

75. Agoriad awdl 'Tŷ Ddewi' yn llawysgrif Waldo.

76

77

78

THE
OLD FARMHOUSE

by
D. J. WILLIAMS

Translated from the Welsh by
WALDO WILLIAMS

GEORGE G. HARRAP & CO. LTD
LONDON TORONTO WELLINGTON SYDNEY

76. D. J. Abergwaun – cyfaill mynwesol.

77. Cartref D. J. Williams yn Abergwaun. Bu'r tŷ yn dafarn o'r enw 'Bristol Trader' unwaith.

Byddai Waldo'n galw'n aml ar aelwyd D.J. a Siân, a mawr oedd y croeso, y seiadu a'r difyrrwch yno. Dyma hanes un o'r ymweliadau hyn gan Dillwyn Miles:

'Noswaith Eisteddfod yr Urdd yn Abergwaun oedd hi, tua 1937. Euthum i de at D.J. a Siân, a daeth Waldo yno cyn ein bod ni'n pedwar yn mynd i'r Eisteddfod yn Neuadd yr Eglwys. Yr oedd hi'n noson oer iawn a rhoddodd Siân lo mân ar y tân cyn i ni ymadael. Pan ddaethom yn ôl, tua hanner nos, pocrodd hi'r tân fel bod y fflamau'n codi. Yn sydyn, dyma'r twrw mwyaf dychrynllyd. Aethom ni'r gwŷr allan i'r cefn a chael fod pot y shimne wedi hollti gyda'r gwres, a'i hanner wedi cwympo i lawr dros do y tŷ a thros sied sinc. Tra oedd D.J. a minnau'n ceisio cymhennu tipyn yn y mwg a'r annibendod, safai Waldo gan bwyso ar ffrâm y drws ac adrodd englyn a wnaeth ar y pryd. Yn anffodus, ni chofiaf y ddwy linell gyntaf ond y ddwy olaf oedd:

> Y mwg fel 'hwrligwgan
> Siom ar 'diawl yw shime ar dân.

78. *The Old Farmhouse*, cyfieithiad Waldo o *Hen Dŷ Ffarm*, D. J. Williams, a gyhoeddwyd ym 1962.

79

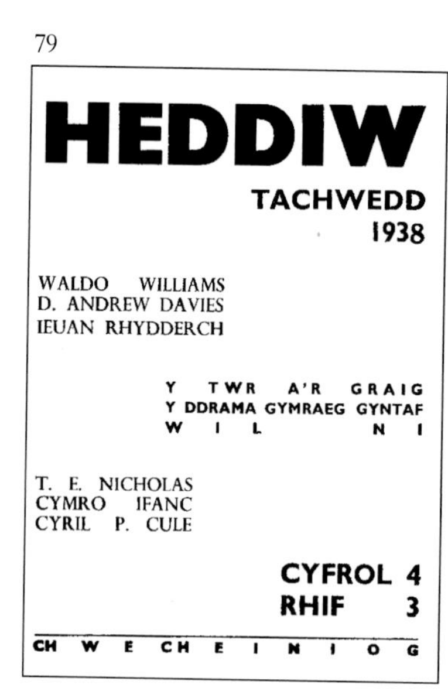

HEDDIW

TACHWEDD
1938

WALDO WILLIAMS
D. ANDREW DAVIES
IEUAN RHYDDERCH

Y TWR A'R GRAIG
Y DDRAMA GYMRAEG GYNTAF
WIL NI

T. E. NICHOLAS
CYMRO IFANC
CYRIL P. CULE

CYFROL 4
RHIF 3

CHWECHEINIOG

79. Cyhoeddwyd 'Y Tŵr a'r Graig' yn *Heddiw* Tachwedd 1938 (Golygyddion: Aneirin ap Talfan a Dafydd Jenkins). Yn is-bennawd ceir y canlynol:

'CONSCRIPTION URGED.

Lord Strabolgi is to move in the House of Lords on November 16: "That in the light of recent events, this House is of the opinion that it would be in the best interests of this country if some measures of compulsory national service to include compulsory service in the Forces of the Crown were to be adopted".'

80. Castell y Garn, a saif ychydig uwchlaw Newgwl, rhwng Hwlffordd a Thyddewi.

Ôl hen ryfel a welais,
Y cysgod trwm lle cwsg trais,
Tua'r awyr tŵr eofn,
Yn ddu rhag yr wybren ddofn.

'Y Tŵr a'r Graig'

80

81

81. Craig Tre-wman.

Moel gadarn draw, ac arni
Garreg hen. Y graig, hyhi
Ar welw fin yr wybrol fôr,
Maen garw er mwyn y goror,
A llun dan gymylau llwyd
Yn air praff a ŵyr proffwyd.

'Y Tŵr a'r Graig'

Castell y Garn yw'r tŵr, ac ar fynydd Tre-Wman neu 'Brwmston' neu 'Plumstone' y mae'r graig. O'm hen gartref, saif y rhain ar y gorwel, ar draws y sir, yn eglur yn erbyn wybr yr hwyr. Cymerais hwy'n sumbolau. Tachwedd 1938 a'r Arglwyddi'n cynnig Gorfodaeth Filwrol.

Nodyn gan Waldo yn Dail Pren

82.

Y cledd gwych ar y clawdd gwâr,
Llyfnwyrdd yw, llafn o'r ddaear,
Arf bro i herio oerwynt,
Er lliw a chân gwân y gwynt.
Mae gwedd rhwng llawer cledd clau,
Antur llu, cynta'r lliwiau
Trwy fwnwgl main o'r wain wyw
Tua'r chwedail, torch ydyw;
Prydferthwch bro, deffroad
Melyn gorn ym mlaen y gad.

'Daffodil'

82

83

84. Pentre Ifan – Cardiau Bro, Siop Siân, Crymych.

A daw ataf o'm deutu
Iaith fwyn hen bethau a fu
Fel caneuon afonydd
Llawer doe dan goed yn gudd.

'Tŷ Ddewi'

84

Un funud fach cyn elo'r haul o'r wybren,
Un funud fwyn cyn delo'r hwyr i'w hynt,
I gofio am y pethau anghofiedig
Ar goll yn awr yn llwch yr amser gynt.
Waldo Williams

83.

Gwyn, gwyn
Yw'r gynnar dorf ar lawr y glyn.
O'r ddaear ddu y nef a'u myn.
Golau a'u pryn o'u gwely pridd
A rhed y gwanwyn yn ddi-glwy
O'u cyffro hwy uwch cae a ffridd.

Pur, pur
Wynebau perl y cyntaf fflur.
Er eu gwyleidd-dra fel y dur
I odde' cur ar ruddiau cain
I arwain cyn y tywydd braf
Ymdrech yr haf. Mae dewrach 'rhain!

Glân, glân
Y gwynder cyntaf yw eu cân
Pan elo'r rhannau ar wahân
Ail llawer tân fydd lliwiau'r tud.
Ond glendid glendid yma dardd
O enau'r Bardd sy'n llunio'r byd.

'Eirlysiau'

85

85.

Gaeaf ni bydd tragyfyth.
Daw'r wennol yn ôl i'w nyth.

Ceir peth o dir brasaf Sir Benfro o gwmpas Castell Martin. Ar y dolydd breision hyn y magwyd brid neilltuol o wartheg duon. Byddai defaid ardal Preseli'n gaeafu yma hefyd. Eithr ym 1931 aeth y Weinyddiaeth Ryfel â thua chwe mil o erwau gan droi ardal helaeth yn faes ymarfer tanciau rhyfel. Deil y Weinyddiaeth Ryfel ei gafael o hyd ar y tir, a chrewyd cyffro yma pan ddaeth tanciau 'Panzer' Yr Almaen i ymarfer fel rhan o fyddin NATO.

Dyma a ddywed Euroswydd (Prosser Rhys) yn *Baner ac Amserau Cymru* (Mawrth 29, 1939) am 'Daw'r Wennol':

'Cefais ddau fersiwn o'r cywydd oddi wrth Waldo ac wrth yrru'r ail fersiwn (sef y fersiwn sydd yn *Dail Pren*) cefais lythyr gan Waldo yn egluro tipyn am gefndir y cywydd ... Medd Waldo 'Bûm yn adrodd wrth rai neithiwr y gân a yrrais atoch, a chredent nad oeddwn wedi gosod allan yn ddigon clir am ba beth y canwn – y ffermydd, rhwng Cors Castell Martin a'r môr, lle bydd y 'Tank Range' cyn hir. Felly, mi ail-luniais y gân, gan roi pennill dwy linell ar ôl pob pennill chwe llinell i ddwyn i mewn rai o'r enwau. Linney (o darddiad Nors, debygaf) yw'r Lini sydd gennyf – ba beth arall a wnawn ag ef?

Pennyholt yw Pen-yr-hollt erbyn hyn, a Crickmail yw Crug-y-mêl yn nhafodiaith yr ardal – a little English beyond Welsh. Efallai nad cywir meddwl am Pen-yr-hollt wrth ddarllen am aelwyd y wehelyth, oblegid nid oes mwy na phymtheng mlynedd er pan symudodd y bobl yno o'r dref.

Hefyd gobeithir achub rhan o Crickmail eto, ond fel darlun cyfansawdd safed yr enwau onid ẹ? Perchenogir Linney, Pennyholt, Bulliber (Pwll Berw?), Brounslade Chapel, Mount Sion, Pricaston, Flimston a hanner Longstone Cedwir yn ôl rannau o Fenor, Lovestone, Heyston, Trenorgan, Crickmail. Ger Flimston mae'r graig sy'n drefedigaeth i'r 'eligugs', chwedl pobl yr ardal, ar hyd misoedd yr haf. Neu'n gartref, yn hytrach, oblegid yma ar silffoedd y graig y mae'n dodwy a deori. Deuant mewn noswaith ac ânt mewn noswaith, meddir, a chredir yng Nghastell Martin nad ydynt i'w cael mewn unlle arall yn y wlad. Ni wn i o ba le y cânt y gair eligug onid o'r gair Cymraeg – chwilog-hwilog. Er newid eu hiaith, pa beth a allai'r hen bobl ond cadw'r gair hwn, gan na wyddai'r dyfodiaid un enw ar yr adar. Erbyn hyn gŵyr pawb drwy'r 'Society for the Protection of the – Fauna – of the British Empire' mai 'guillemots' ydynt.'

86. Bae Pen-yr-hollt.

Ni ddaw dafad i adwy
Ym Mhen yr Hollt na mollt mwy.

'Daw'r Wennol'

86

87

87. Y Stacks.

88. Y Bont Werdd. I'r gorllewin o'r Bont Werdd y ceir y trwyn eithaf yn ne'r Sir – Linney Head.

> Bydd truan hyd lan Lini
> Ei hen odidowgrwydd hi.

'Daw'r Wennol'

89. Gwastraff rhyfel ffug yng Nghastell Martin.

> I'w hathrofa daeth rhyfel
> I rwygo maes Crug-y-Mêl.

'Daw'r Wennol'

88

89

90

90. Safle hen Ysgol y Cyngor Cas' Mael. Dyma lle'r oedd Waldo â gofal am yr ysgol pan ddechreuodd yr Ail Ryfel Byd. Dyma'r adeg y bu'r ymryson rhyngddo a D.T. Jones, Cyfarwyddwr Addysg Sir Benfro, parthed ei safiad fel heddychwr. Gwnaed bywyd mor anodd iddo yma nes iddo adael ei swydd a mynd i ddysgu i Ysgol Uwchradd Botwnnog.

Erbyn hyn trowyd yr adeilad yn dri thŷ annedd – un yn gartref i deulu lleol, a dau dŷ haf. O flaen y drws saif Alun Ifans, Prifathro presennol Ysgol Cas' Mael.

91

91. 'Ar Weun Cas' Mael'

Mi rodiaf eto Weun Cas' Mael
A'i pherthi eithin yn ddi-ffael,
Yn dweud bod gaeaf gwyw a gwael
 Ar golli'r dydd,
'Daw eto'n las ein hwybren hael'
 Medd fflam eu ffydd.

A heddiw ar adegau clir
Uwchben yr oerllyd, dyfrllyd dir
Dyry'r ehedydd ganiad hir,
 Gloywgathl heb glo,
Hyder a hoen yr awen wir
 A gobaith bro.

'Ar Weun Cas' Mael

92

92.

Dwg ni yn ôl. Daw'r isel gur
Dros Weun Cas' Mael o'r gaethglud ddur:
Yng nghladd Tre Cŵn gwasnaetha gwŷr
Y gallu gau.
Cod ni i fro'r awelon pur
O'n hogofâu.

'Ar Weun Cas' Mael'

Meddiannwyd y cwm cul rhwng Treletert a Llanychâr gan y Swyddfa Ryfel cyn cychwyn yr Ail Ryfel Byd.

93 a/b.

Chwi wŷr Castell Henri, diolchwch fel praidd
Am fugail yn cadw ei blwyf rhag y blaidd,
Ac am Bant y Cabal a safodd ei dir
Gan weled trwy'r rhagrith i galon y gwir.
O rhodder i Gymru o Fynwy i Fôn
Wlatgarwyr fo'n barod i fynd ar y ffôn,
A gwaedded y werin yn gefn i'r Home Guard
'Why don't you take out your Identity Card?'

'Fel Hyn y Bu'

93a

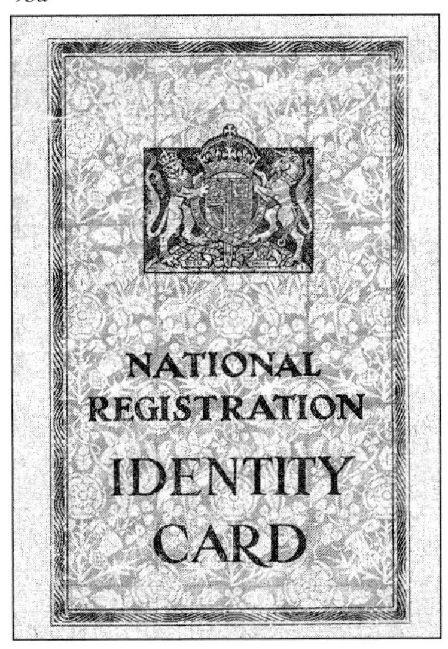

93b

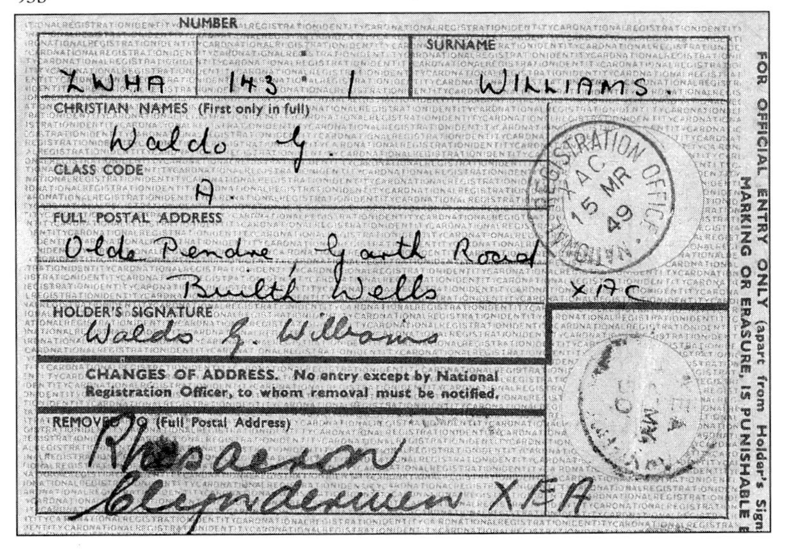
NUMBER
ZWHA 143 1

SURNAME
WILLIAMS.

CHRISTIAN NAMES (First only in full)
Waldo G.

CLASS CODE
A

FULL POSTAL ADDRESS
Olde Pendre Garth Road
Builth Wells
XAC

HOLDER'S SIGNATURE
Waldo G. Williams

CHANGES OF ADDRESS. No entry except by National Registration Officer, to whom removal must be notified.

REMOVED TO (Full Postal Address)
Rhosaeron
Clynderwen XEA

REGISTRATION OFFICE XAC 15 MR 49

FOR OFFICIAL ENTRY ONLY (apart from Holder's Signature) MARKING OR ERASURE, IS PUNISHABLE

Y mae'r hanes y tu ôl i'r gerdd hon yn anhygoel.

94. Abertawe'n fflam.

> Uwch yr eira, wybren ros,
> Lle mae Abertawe'n fflam,
> Cerddaf adref yn y nos,
> Af dan gofio 'nhad a mam.
> Gwyn eu byd tu hwnt i glyw,
> Tangnefeddwyr, plant i Dduw.

'Y Tangnefeddwyr'

94

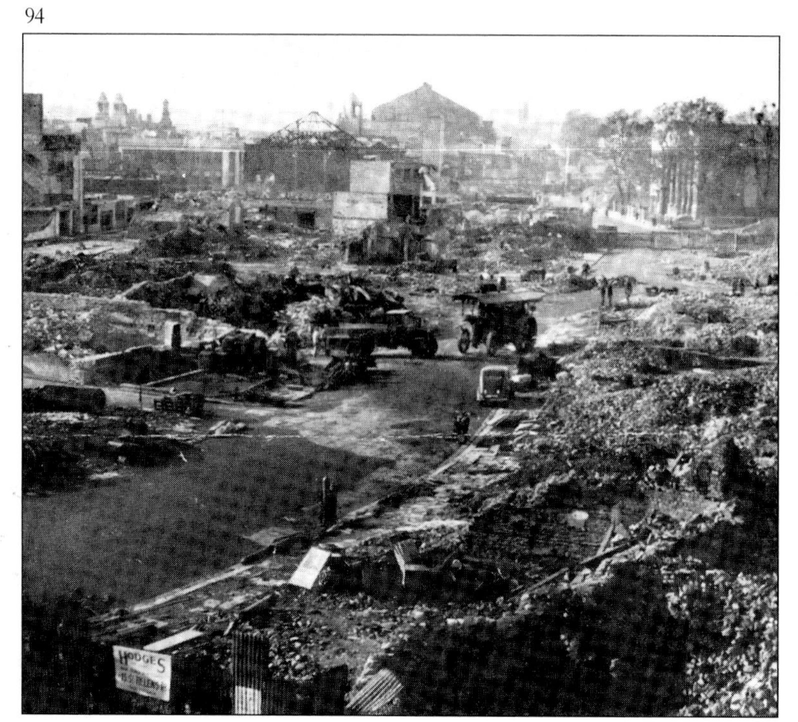

95

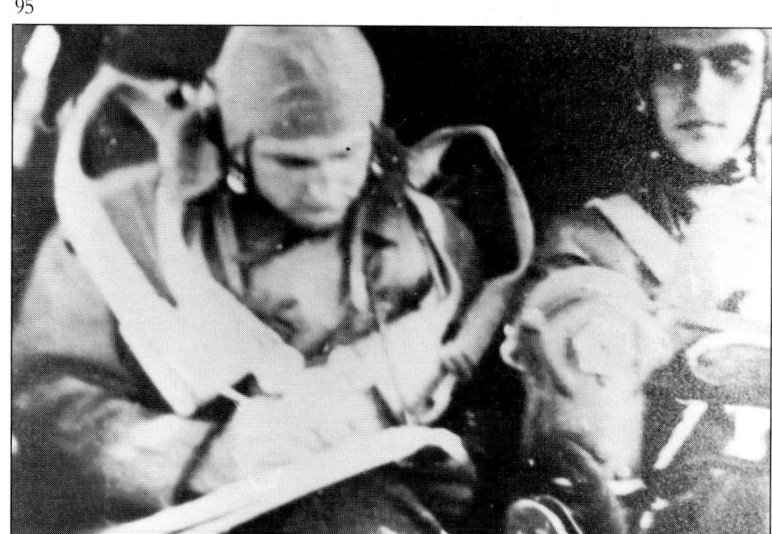

95. Führer Julius Tengler (dde) yn ei awyren He III, II+ +BT.

'Ar Ionawr 1af, 1941, gadawyd maes awyr PO1X NORD (maes awyr glaswellt) am 19.10 o'r gloch mewn He III rhif IH + GT i fomio porthladd Abertawe. 'Roedd bom fawr 1800kg ar yr ochr chwith, tu allan i'r awyren. Tu fewn i'r awyren yr oedd pedair bom 250kg ac un-deg-chwech bom 50kg. Pan gyrhaeddwyd Abertawe yr oedd y fflamau yn uchel o bob lliw i'w gweld o'r dociau a'r tanciau olew. 'Doedd dim balŵns, nemor ddim gynnau na gwrthymosodiadau gan yr Awyrlu Prydeinig. Gollyngwyd ein llwyth a dychwelyd i POIX NORD gan gyrraedd yn ôl am 24.00 o'r gloch. Cwblhawyd y daith o 1200km mewn tair awr.'

Donald Glyn Pritchard, Ysgol Pensarn, 'Luftwaffe dros Fôn'

96. Julius Tengler, yn ei lifrai Luftwaffe. Cymerodd ran yn yr ymgyrch fomio ar ddinas Abertawe yn ystod Ionawr – Mawrth 1941.

96

97

Flug		Landung			Flug-dauer	Kilometer	Bemerkungen
Tag	Tageszeit	Ort	Tag	Tageszeit			
2.2.41.	14^{55}	Chrevilles	2.2.41	15^{15}	20	80	
4.2.41.	19^{10}	"	4.2.41	23^{40}	270	1080	Derby!!!
5.2.41.	19^{15}	"	5.2.41	21^{50}	155	620	Themsemündung
17.2.41.	20^{35}	"	17.2.41	23^{35}	180	640	London! City
19.2.41.	11^{05}	Le Bourget	19.2.41	11^{35}	30	120	
21.2.41	20^{00}	"	21.2.41	23^{35}	215	860	Swansea!
2.3.41	9^{55}	"	2.3.41	11^{17}	82	328	
2.3.41	11^{40}	"	2.3.41	13^{15}	95	380	
3.3.41.	21^{10}	"	4.3.41	1^{05}	135	940	Cardiff!
4.3.41.	21^{40}	"	5.3.41	1^{15}	215	860	Cardiff!
8.3.41	10^{30}	"	8.3.41	12^{50}	140	560	
8.3.41	20^{35}	"	8.3.41	23^{10}	155	620	London, Docks

Adroddiad am yr ail gyrch ar Abertawe (Chwefror 21, 1941):

'Cododd ein hawyren He III, rhif 1H +FR oddi ar faes Le Bourget, Chwefror 21, 1941 am 20.00 o'r gloch gyda llwyth o ffrwydron. Yr oeddem yn cario wyth bom 250kg. Ein gwaith y noson honno oedd bomio harbwr Abertawe. Ym mhen blaen gwydr yr awyren yr oeddwn i â'r anelwr/arsyllwr ar y dde i mi. 'Roedd gweithredwyr y radio tua hanner ffordd yn rhan uchaf yr awyren a'r peiriannydd (anelwr gwrychoedd) y tu ôl iddo yn yr hanner isaf.

'Roeddem yn hedfan tua 4500m. o uchder ar gyflymdra o 280km/a. 'Roedd y lleuad o'n cefnau. 'Roeddem yn defnyddio'r dull diweddaraf o fomio sef y *Dull Y*. 'Roeddem yn dilyn pelydr peilot a oedd yn awtomatig yn llywio y llyw ochrog ac yn ein cloi i gyfeiriad y targed. 'Roedd y pellter yn cael ei fesur gan yr amser a aeth heibio wrth anfon ysgogiad trydanol o'r orsaf yn St. Omair (Calais) a Cherburg. Deng munud cyn cyrraedd Abertawe 'roedd yn rhaid cadw'r uchder i'r cyflymdra 180-220 km/a yn gyson er mwyn cael y pellter cywir. 'Roedd hyn yn araf oherwydd pwysau'r bomiau a'r llwyth yma.

Ar ôl gollwng y llwyth 'roedd yr awyren yn codi ychydig gan ein bod yn colli cydbwysedd. Ymhen deg eiliad gwelwyd fflachiadau ffrwydro. Glaniwyd yn ôl yn Le Bourget am 23.35 o'r gloch wedi cwblhau taith o 860km mewn 2.15 awr.'

Allan o 'Luftwaffe Dros Fôn', ymchwil Donald Glyn Pritchard

97. Record o'r cyrchoedd bomio.

98

The fee for this certificate is [illegible] if issued by the superintendent registrar or [illegible]p if issued by the registrar.

40c yw'r tâl am y dystysgrif hon os rhoddwyd gan y cofrestrydd arolygol neu 25c os rhoddwyd gan y cofrestrydd.

CERTIFIED COPY OF AN ENTRY Pursuant to the Marriage Act 1949
COPI DILYS O GOFNOD

CAUTION
Any person who (1) falsifies any of the particulars on this certificate, or (2) uses a falsified certificate as true, knowing it to be false, is liable to prosecution.

RHYBUDD
Y mae unrhyw berson (1) sy'n achosi rhoi manylion anghywir ar y dystysgrif hon neu (2) sy'n defnyddio tystysgrif anghywir fel un gywir, ac yntau'n gwybod ei bod yn anghywir, yn agored i'w erlyn.

TWA 041360

M. Cert.
S.R., R.B.D. & M.

No. Rhif 40 — Marriage solemnized at / Priodas a weinyddwyd yn Blaenconin Chapel Blaenconin Llandysilio West — in the district of / yn nosbarth NARBERTH — in the / yn COUNTY OF PEMBROKE

1. When married / Pryd y priodwyd	2. Name and surname / Enw a chyfenw	3. Age / Oed	4. Condition / Cyflwr	5. Rank or profession / Safle neu broffesiwn	6. Residence at the time of marriage / Preswylfa adeg priodi	7. Father's name and surname / Enw a chyfenw'r tad	8. Rank or profession of father / Safle neu broffesiwn y tad
Fourteenth April 1941	Waldo Goronwy Williams	36 Years	Bachelor	Permanent Supply Teacher (Elementary Schools)	Precelly Hotel Maenclochog	John Edwal Williams (deceased)	Head Master (Elementary School)
	Linda Llewellyn	29 Years	Spinster	Assistant Teacher (Elementary School)	Rhosaeron, Llandissilio East	William Morris Llewellyn (deceased)	Colliery Winding Engineer (above ground)

Married in the / Priodwyd yn Blaenconin Chapel according to the Rites and Ceremonies of the Baptists by / drwy Licence by me, / gennyf fi,

This marriage was solemnized between us, / Gweinyddwyd y briodas hon rhyngom ni, Waldo G. Williams, Linda Llewellyn — in the presence of us, / yn ein presenoldeb ni, A D Williams, A J Lewis — D J Michael, Minister; John Davies, Registrar

Certified to be a true copy of an entry in a register in my custody.
Tystiolaethwyd ei fod yn gopi cywir o gofnod mewn cofrestr a gedwir gennyf i. D V Cunnick (Signature Llofnod) Superintendent Registrar / Cofrestrydd — 30th August 1973 Date / Dyddiad

Registration District / Dosbarth Cofrestru HAVERFORDWEST

98. Copi o dystysgrif priodas Waldo a Linda. Priododd Waldo a Linda Llywelyn yng Nghapel y Bedyddwyr, Blaenconin, ar Ebrill 14, 1941. Yr oedd y gwasanaeth yng ngofal gweinidog yr Eglwys, y Parchedig D. J. Michael.

99

99. Linda, gwraig Waldo.

Hi fu fy nyth, hi fy nef,
Fy nawdd yn fy nau addef,
Ei chysur, yn bur o'i bodd,
A'i rhyddid hi a'u rhoddodd.
Hi wnaeth o'm hawen, ennyd,
Aderyn bach uwch drain byd.
Awel ei thro, haul ei threm,
Hapusrwydd rhwydd lle'r oeddem
Fy nglangrych, fy nghalongref
Tragyfyth, fy nyth, fy nef.

100

100. Ysgol Botwnnog (o'r awyr), 1963.

Bu Waldo ar staff Ysgol Botwnnog o Ionawr 1942 hyd Orffennaf 1944.

'Dyma'r ardal y daeth Waldo Williams a'i briod iddi ym mis Ionawr 1942 a derbyn croeso cynnes. Roeddem yn falch o gael Cymro Cymraeg arall i'n plith yn yr ysgol, oblegid Cymraeg a siaradem i gyd, wyth athro a chant ac ugain o blant. Daeth rhai ffoaduriaid o'r dinasoedd mawrion atom, ond buan iawn y deuent i ddeall yr iaith a pharablu ynddi, gan fod y Gymraeg yn boddi'r Saesneg yn y rhan fwyaf o Ben Llŷn yr adeg honno –

> Ni sylwem arni. Hi oedd y goleuni heb liw.
> Ni sylwem arni, yr awyr a ddaliai'r arogl
> I'n ffroenau. Dwfr ein genau, goleuni blas.'

Anna Wyn Jones, Waldo, Gol. James Nicholas

101. Bryn Llan, Botwnnog.

Yma, am gyfnod byr, y bu Waldo a Linda yn aros gyda Mr a Mrs Morus Gruffydd pan ddaethant i Fotwnnog. Saif y tŷ nid nepell o'r ysgol ar yr allt sy'n arwain i'r pentref.

101

102

102. Mur Poeth, Mynytho.

Bu Waldo a Linda yn byw am gyfnod yn Greigir Uchaf, Abersoch, a phan oeddent yn byw yno y trawyd Linda yn wael yn gynnar ym 1943. Ar ôl iddo golli Linda symudodd Waldo i fyw at Wmffra Jones, Mur Poeth, Mynytho. Oddi yma y gadawodd Waldo Lŷn.

103

103. Waldo gyda rhai o deulu Pencraig Fawr, Sarn (Mr a Mrs Gruffydd Parry a'r plant) ar lan môr Aberdaron, Haf 1949. Yn ôl Gruffydd Parry 'treuliodd (Waldo) y rhan fwyaf o'r amser yn ceisio ymgeleddu aderyn môr oedd wedi cael olew ar ei blu. Cafwyd petrol o fodurdy yn y pentref'.

104

105

104. Y maes awyr ger Tyddewi. Meddiannodd y Swyddfa Ryfel ddau ddarn o dir ar benrhyn Tyddewi, y naill rhwng Fachelich, Tregroes a Chaerfarchell a'r llall ym Mreudeth. Yr oedd y tiroedd hyn yn diroedd amaethu cyfoethog a lluniwyd dau faes awyr yno. Agorwyd y cyntaf (maes awyr Tyddewi) ym Medi 1943, a'r ail (maes awyr Breudeth) ym mis Chwefror 1944. 'Roedd y meysydd hyn gerllaw'r llwybrau lle cerddai'r pererinion ar hyd y canrifoedd i Dyddewi ac ymatebodd Waldo'n chwyrn iddynt.

105. Maes awyr Breudeth.

Rhannodd y dymp a'r drôm bentir y sant
Ac uffern fodlon fry yn canu ei chrwth,
A'i dawnswyr dof odani yn wado bant
Wrth resi dannedd dur y dinistr glwth.
Tragwyddol bebyll Mamon – yma y maent
Yn derbyn fy mhobl o'u penbleth i mewn i'w plan,
A'u drysu fel llysywod y plethwaith paent
A rhwydd orffwylltra llawer yn yr un man.

'Gŵyl Ddewi'

106

107

SCHOOL NOTES

SPRING TERM, 1945, still under war conditions but with the end of the long struggle surely in sight,—this is the short but very full term to be recorded in this issue of *The Kimboltonian.*

We returned on the 9th January, in weather which foreboded ill for those responsible for our well-being—heavy snow, skiddy roads, icy winds and no prospect of normal outdoor activities for some time. The office transport-arrangements brought us safely here and we began term on the 10th with 324 on the Roll.

Changes in the Staff included Mr. H. C. White, M.A. (Cantab.), as English Master (in place of Mr. C. J. Nicholls), Mr. O. Wynne Ellis, B.A. (Wales), as Physical Training Instructor in place of Dr. W. F. Pick, and Mr. A. R. Maddock for Divinity and Classics. On February 1st the Masters were joined by Mr. W. G. Williams, B.A., as Latin Master to replace Miss D. E. Budd. New boys were R. G. W. Ansell, J. S. Ball, J. L. Dellar, M. B. D. Hunter, P. H. A. Russell, P. L. Shorland, R. H. Threlfall and O. A. C. M. Williams.

WEATHER continued wintry and severe for the first month. Pathways had to be cleared through the snow first thing in the morning and frozen water-pipes gave

106. Kimbolton, lle bu Waldo yn athro ysgol ym 1945 – blwyddyn terfyn y Rhyfel.

107. *The Kimbolton Magazine,* Mawrth 1945, yn nodi penodiad Waldo yn athro Lladin yno.

108. Gwelir o'r adroddiad yn *Baner ac Amserau Cymru*, Tachwedd 20, 1946, natur ddeublyg poblogaeth Sir Benfro. Yr oedd Cyngor Dinesig Abergwaun wedi croesawu'r newydd fod llygaid y Swyddfa Ryfel ar y Preselau tra oedd nifer o wladgarwyr Cymreig a heddychwyr yn ffyrnig yn erbyn y cynllun. Gwelir yr un ddeuoliaeth yn y Sir yn yr ymagweddu at bresenoldeb y Fyddin yng Nghastell Martin, yr awyrlu ym Mreudeth a Thŷ Ddewi, a'r storfa arfau yn Nhre-cŵn.

109. Bro'r Preselau.

Ym mis Tachwedd 1946 y daeth i glyw'r gymdogaeth fod llygad y Swyddfa Ryfel arni. Dyma a ddywedodd Saunders Lewis yn *Baner ac Amserau Cymru*, Rhagfyr 19, 1946:

'Gwelir fod y Lluoedd Arfog eisoes wedi meddiannu union ddegwm o holl wyneb tir Cymru ... yn dal bron gymaint o dir mewn aceri ag y sydd o dir aredig yng Nghymru.

Ystyrier bwriad y Swyddfa Ryfel i feddiannu bryniau Preselau yn Nyfed ... Ym mhlwyf y Fynachlog-ddu yn unig fe fygythir anfon allan o'u cartrefi bump a phedwar ugain o aelodau capel y Bedyddwyr Cymraeg yno, ac fe effeithir yn debyg ar blwyfi eraill gerllaw.

Dyma galon hen gantref Cemaes ... Dyma wlad Dewi a Brynach a chanddi hyd heddiw olion lu o'r gwareiddiad cyntefig a'u rhamant a'u crefydd.

Calonogol yw gweld a chlywed bod pobl bybyr y Preselau yn gwrthwynebu'n ddewr a brwdfrydig gynlluniau'r Swyddfa Ryfel.

Y mae'n bryd i'r Cymry ddangos eu bod yn wŷr, a bod eto beth o

108

Y SWYDDFA RYFEL A THIR CYMRU

Y GENEDL YN HOGI ARFAU I'R FRWYDR

Cyngor Abergwaun yn Cefnogi'r Militarwyr

GAN EIN GOHEBYDD ARBENNIG

Y mae gwladgarwyr pybyr a chywir yn sir Benfro yn brysur yn hogi arfau yn barod i'r frwydr fawr i gadw Bryniau Preselau rhag syrthio i ddwylo'r Swyddfa Ryfel. Pasiwyd penderfyniad cryf o brotest yng nghyfarfod Undeb Cenedlaethol Athrawon Cymru yn Festri Hermon, Abergwaun.

Pan gofir bod carfan gref o Sais-addolwyr ar Gyngor Dinesig Abergwaun a Phwll Gwdyg, nid oedd yn syndod gweld y Cyngor hwnnw yn croesawu bwriad y Swyddfa Ryfel â breichiau agored.

Fel y gellid disgwyl y mae Mr. D. J. Williams fel cadfridog ar flaen y rheng, yn gwneud ei orau glas i symbylu Cymry'r sir i wrthwynebu'r bwriad. Mewn llythyr agored a gyhoeddwyd yn "Y County Echo," Tachwedd 14, dywed Mr. Williams ei farn yn groyw a diamwys am gynghorwyr Abergwaun.

Bu Mr. Tom Jones, Trefnydd Undeb Cymru Fydd, eisoes yn Abergwaun, Maenclochog, Crymych a Mynachlog Ddu yn cychwyn yr ymgyrch.

Mynegodd Mr. Gwilym Lloyd George, A.S., ei fod yn barod i wneuthur popeth sydd yn ei allu i gadw'r Preselau,

leiaf o waed Owain Glyndŵr yng ngwythiennau Cymry'r ugeinfed ganrif … Ni wrendy Llywodraeth Loegr ar benderfyniadau. Ond fe ildia i benderfyniad.'

Ac ildio a wnaeth i benderfyniad.

109

110. Y Parchedig R. Parry Roberts, gweinidog Bethel, Mynachlog-ddu 1924-68, heddychwr a chenedlaetholwr.

Bu cyfeillgarwch arbennig rhwng Waldo a'r Parchedig R. Parry Roberts, a mawr fu'r seiadu ar aelwyd Brynhyfryd, Mynachlog-ddu, hyd berfeddion nos.

Bu Gweinidog Bethel ar flaen y gad yn deffro cydwybod deiliaid bröydd y Preselau adeg bygythiad y Swyddfa Ryfel 1946-47.

Wele ddyfyniadau arwyddocaol o Anerchiad y Gweinidog i'w Eglwys:

1938: 'Deuddeg mis o lywodraeth y 'Bwystfil' a fu'r flwyddyn ddiwethaf yn hanes y byd, eithr na ddigalonnwn. Gorffwys ar ysgwydd pob Cristion ddau hawl arbennig na fedr eu hosgoi – Eiddo Cesar ac Eiddo Duw. Gofalwn nad ydym yn rhoddi hawliau'r naill i'r llall.'

1945-46: 'Tonic i'm hysbryd ydyw gweld eich penderfyniad unol a di-ildio fel Eglwys a Chymdogaeth i wrthwynebu y Cynllun dieflig a haerllug.'

'Llongyfarchaf chwi ar eich safiad cadarn, canys tir cysegredig ydyw Bro'r Preselau. Oni adeiladwyd Temlau i Dduw, Tad ein Harglwydd Iesu Grist, gan eich cyn-dadau ar odreon y Bryniau o bob tu?'

'Ystyr eich ysbryd gwrol ydyw – na chaiff neb o Haneswyr y dyfodol sgrifennu am y Preselau: 'Hyd lawr yr halogasant breswylfa dy Enw; llosgasant holl synagogau Duw yn y tir.'

Gweler E. T. Lewis, 'Yr Heddychwr' yn Ffarwel i'r Brenin

110

111

112

Hon oedd fy ffenestr, y cynaeafu a'r cneifio.
Mi welais drefn yn fy mhalas draw.
Mae rhu, mae rhaib drwy'r fforest ddiffenestr.
Cadwn y mur rhag y bwystfil, cadwn y ffynnon rhag y baw.

'Preseli'

111. Y Parchedig Joseff James. Chwaraeodd nifer o weinidogion yr Efengyl ran flaenllaw wrth wrthwynebu cynllun y Swyddfa Ryfel i feddiannu ardal y Preselau. Yn eu plith yr oedd y Parchedig Joseff James, Llandysilio, gweinidog gyda'r Annibynwyr yno, a'r Parchedig Moelwyn Daniel.

112. Codwyd cofeb i'r Parchedig Joseff James ar lethrau'r Preselau.

113. Golygfa o'r awyr o bentref Avebury lle ceir un o'r safleoedd Neolithig pwysicaf yn yr ynysoedd hyn. Y cylch cerrig o gwmpas y pentref yw'r cylch cerrig mwyaf yn y byd.

Pan oedd yn byw yn Wiltshire byddai Waldo'n ymweld ag Avebury yn aml, gan fynd i'r amgueddfa yno, yn lle gwelodd 'yr ysgerbwd carreg' a'i hysbrydolodd i ganu 'Geneth Ifanc'.

113

114

115

114. Saif hen bentref Neolithig Windmill Hill i'r Gogledd o Avebury. Yno y cloddiwyd yr ysgerbwd carreg.

'Y mae anthropolegwyr fel Elliot Smith a Perry yn pwysleisio un cysylltiad hanesyddol ac yn gwadu'r hen haeriad am ymladdgarwch cynhenid y natur ddynol. Wrth olrhain hanes gwareiddiad yn ôl deuwn i gyfnod y mae'n anodd dweud a ydyw rhyfela'n gangen o lywodraethu neu ynte lywodraethu yn gangen o ryfela. Y mae'r ddau weithgaredd yn ymdoddi. Cyn hynny ceid ymladd ysbeidiol y mae'n ddiamau, ond erbyn hyn dyrchafwyd rhyfel yn sefydliad parhaol ac anrhydeddus, yn nodwedd gwareiddiad ac yn ysbrydiaeth i lên, 'Canaf yr arfau a'r gŵr'. Yn yr awyrgylch hwn yr ymwahanodd y ddwy elfen yn y gymdeithas, y llywodraethwyr a'r bobl, a daeth y wladwriaeth i fod ar ben y rhwydwaith o berthynas ac arferion ac angenrheidiau a gadwai'r gymdeithas yn un gynt.'

Brenhiniaeth a Brawdoliaeth

115. Yr 'ysgerbwd carreg' yn Amgueddfa Avebury.

Geneth Ifanc

Geneth ifanc oedd yr ysgerbwd carreg.
Bob tro o'r newydd mae hi'n fy nal.
Ganrif am bob blwydd o'm hoedran
I'w chynefin af yn ôl.

Rhai'n trigo mewn heddwch oedd ei phobl,
Yn prynu cymorth daear â'u dawn.
Myfyrio dirgelwch geni a phriodi a marw,
Cadw rhwymau teulu dyn.

Rhoesant hi'n gynnar yn ei chwrcwd oesol,
Deuddeg tro yn y Croeso Mai,
Yna'r cydymaith tywyll a'i cafodd.
Ni bu ei llais yn y mynydd mwy.

Dyfnach yno oedd yr wybren eang,
Glasach ei glas oherwydd hon.
Cadarnach y tŷ anweledig a diamser
Erddi hi ar y copâu hyn.

116. Waldo a'i chwaer Dilys yn mwynhau egwyl ar un o draethau Sir Benfro.

116

117a

[illegible] Canrifoedd [illegible]

Wedi'r canrifoedd mudan clymaf eu clod.
Un yw craidd coed a gwych adnabod
Treiddian yn un â'r rhuddin yng ngwreiddyn bod

—

Maint yn un â'r goleuni. Maent uwch fy mhen
[illegible] ymgasgl trwy'r ehangder, hedd. [illegible] wybren
Mae pob un yn rhwyll i'm llygaid yn y llen.

—

John Robert, Trawsfynydd. Offeiriad oedd [illegible] i'r tlawd
Yn y pla trwm yn rhannu bara'r unrhawd,
Gan wybod dyfod gallu'r gwyll i ddryllio'i gnawd.

—

John Owen y saer, a guddiodd lawer [illegible],
Diflin ei law dros yr hen gymdeithas [illegible]
Rhag datod y pleth[illegible], tynnu distiau'r plas.

—

Rhisiart Gwyn. Gwenodd [illegible] yn eu hwyneb hwy;
'Mae gennyf chwe cheiniog tuag at eich dirwy'
Yn achos ei ffydd ni phlygodd ef ei hoedl yn fwy

117b

Y rhedegwyr ysgafn, Na allwn eu cyfrif oll, [illegible]
Yn ymgasgl [illegible] fintai uwchlaw difancoll.
Dian nid oes a ~~dal~~ chwa [illegible] a dalodd yn un doll.

—

Y talu [illegible], [illegible]. Rhoi byd am fyd,
Rhoi'r artaith eithaf am [illegible] yr ysbryd,
[illegible] rhodenyn am wreiddyn a rhoi ~~[illegible]~~ gronyn.
[illegible]

Y diferfeddu wedi'r gloywd artaith, a [illegible]
Yr oedd raid lle rhoddid gwyl i'w heraid eu gwyn
I helaeth [illegible] Golgotha eu Harglwydd gwyn

[illegible] ffyddlon y rhain yn eich crwyn
Cymry, pe baech chwi'n genedl.

Annwyl Mr Eirian Davies, Cewch yr uchod a'i
chroeso os yw o ryw ddefnydd i chi. Pob
hwyl eto gyda'r [illegible]. Ni welais eich llyfr
[illegible] eto. [illegible] gennyf am hyn.
Yn gywir Waldo Williams

117. 'Wedi'r Canrifoedd Mudan'. Pan oedd y Parchedig Eirian Davies yn Olygydd Y *Wawr* – cylchgrawn cangen Prifysgol Cymru, Aberystwyth, o'r Blaid Genedlaethol, gofynnodd i Waldo am gerdd. Dyma'r gerdd fel y'i hanfonwyd hi at Eirian. Yn ôl Eirian fe'i postiwyd o Chippenham ar Fehefin 28, 1948. Gweler y nodyn am y gerdd 'Gair eto am 'Y Gerdd fach seml'' gan Eirian Davies yn *Barddas*, rhifau 147-148, Gorffennaf/Awst 1989, lle dywed Eirian:

'Wrth ddarllen 'Wedi'r Canrifoedd Mudan' yn *Dail Pren* pa ddydd, teimlais ryw chwithdod yn y llinell

Maent yn un â'r goleuni. Maent uwch fy mhen.

Gwyddwn nad oedd llacrwydd yn y byd yng nghanu Waldo fel rheol. Beth a ddaeth drosto i ailadrodd y gair 'Maent' fel hyn? Edrychais ar y gerdd wreiddiol yn ysgrifen Waldo. Dyma sydd ganddo yn y fan honno:

Maint yn un â'r goleuni. Maent uwch fy mhen.

Ie, dyna'r math o ddweud sy'n nodweddu'r Waldo iawn. Dyna'r tyndra gofalus. Cyhoeddais y gerdd yn union fel y derbyniais hi o law Waldo yn *Y Wawr* (Cyfres III, rhif 4) 1948, a gyhoeddwyd ar ôl hynny. Pwy a wad nad yw ffurf wreiddiol y llinell yn llawer gwell na'r darlleniad sy mor gyfarwydd i bawb bellach.'

Nodir hefyd gan Eirian mai *llygaid* nid *llygad* sydd yn y llinell 'Mae pob un yn rhwyll i'm *llygad* yn y llen' a hefyd 'Y rhedegwyr ysgafn. Na allwn eu cyfrif oll!' yw ffurf wreiddiol 'Y rhedegwyr ysgafn, na allwn eu cyfrif oll', er bod 'Waldo am ryw reswm wedi croesi'r rhyfeddnod allan.' Dadleua Eirian yn ei nodyn fod Waldo wedi gwanhau'r gerdd wrth wneud y newidiadau hyn.

118. Castell Trefdraeth.

Wele nodyn gan yr Arwyddfardd Dillwyn Cemais yn cyfeirio at ymweliad arbennig â'i gartref, pan oedd yn byw yng Nghastell Trefdraeth:

'Cwrw Joyce

O am gwart o'r Syr Martin – cais D.J.
Facsad Joyce ers meityn;
Hen weithiwr sad, saethwr sydyn,
Cawr praff uwchlaw'r cwrw prin.

Englyn a wnaeth Waldo pan alwodd ef a D. J. Williams yng Nghastell Trefdraeth, lle'r oeddem yn byw ar y pryd, ar ôl i ni fod yn ail-sefydlu cangen o'r Blaid yn y dref, ddydd Calan 1948. Mae 'Syr Martin' yn cyfeirio at Syr Marteine Lloyd, Arglwydd Farchog Cemais. Yr oedd Joyce wedi macsu 'cwrw Nadolig' gweddol gadarn a oedd, yn ôl D.J., 'yn yfed fel hufen'.'

119. Allendale – Heol Non, Tyddewi (y tŷ gwyn) lle bu Waldo'n aros gyda Mrs Tudor, pan oedd yn athro yn Ysgol y Cyngor yn Nhy- ddewi. Diau mai yn y tŷ hwn yr oedd yn byw pan gafodd rai profiadau a fu'n sail i'w awdl 'Tŷ Ddewi'. Bu yma wedyn yn aros yn nechrau'r Pumdegau.

119

120

121

120. Great Harmeston, lle bu Waldo'n lletya gyda Mr a Mrs Jim Kilroy yn y Pumdegau. Yr oedd y teulu Kilroy yn aelodau gyda'r Crynwyr yn Aberdaugleddau.

121. Bu Waldo'n byw am gyfnod ar ddechrau'r Chwedegau yn y bwthyn hwn ar y ffordd o Merlin's Bridge, Hwlffordd, i Langwm. Dyma englyn a luniodd i'w chwaer Dilys oddi yno:

On my own, Oh! I manage, – I prepare
A repast with courage
I live, active for my age,
In a cute little cottage.

122

PAHAM YR WYF YN GRYNWR

gan
WALDO WILLIAMS

Cydnabyddir yn ddiolchgar ganiatâd golygydd 'Seren Gomer' i argraffu'r sgwrs hon ddarlledwyd gyntaf ar y radio 15 Gorffennaf, 1956

123

125

124

122. 'Paham yr wyf yn Grynwr'.

Ymunodd Waldo â'r Crynwyr ym 1953. Yn y sgwrs a ddarlledwyd gyntaf ar y radio ac a gyhoeddwyd yn *Seren Cymru* dywedodd:

'Ni chefais bethau newydd ganddynt, ychwaith: ond pwyslais a datblygiad ar bethau y deuthum i'w hadnabod o'r blaen ymhlith y Bedyddwyr.'

123. Tŷ Cwrdd y Crynwyr, Aberdaugleddau, lle byddai Waldo'n addoli ar ôl iddo ymuno â'r Crynwyr. Codwyd y Tŷ Cwrdd ym 1811. Cyn hynny arferai'r Cyfeillion addoli yn Hwlffordd.

124. Y tu mewn i Dŷ Cwrdd y Crynwyr, Aberdaugleddau.

125. Clem a Steffan Griffiths, Jordans Neyland, yn sefyll ar y chwith i'r Golygydd, yng ngardd eu cartref. Cyfeillion mynwesol i Waldo, yr oeddynt yn cyd-addoli'n rheolaidd gydag ef yn Nhŷ Cwrdd y Crynwyr, Aberdaugleddau.

126a

DISTAWRWYDD.

Ugain mlynedd yn ol, fe roddodd ffrind yn fy llaw, lyfr bach a ddaeth yn drobwynt yn fy mywyd. "Gwir Heddwch" oedd ei enw. Neges o'r canol oesoedd ydoedd ac iddo un syniad yn unig - sef, fod Duw yn aros yn nyfnder fy mod i siarad wrthyf, ond i mi dawelu digon i glywed Ei lais.

Meddyliais y byddai hyn yn beth hawdd iawn a dechreuais ymlonyddu. Ond prin y dechreuais na ddaeth rhyw ddwndwr i'm clustiau, miloedd o seiniau croch o'r tu allan a'r tu mewn fel na fedrwn glywed dim ond eu sŵn hwy. Fy llais fy hun oedd rhai ohonynt, fy nghwestiynau oedd rhai, fy ngweddiau oedd rhai. Eraill oedd llais y temptiwr a chynnwrf y byd. Ni sylweddolais o'r blaen fod cymaint o bethau i'w gwneud, i'w dweud, i'w meddwl; ac o bob cyfeiriad fe'm gwthiwyd a'm tynwyd a'm cyfarchwyd gan y cyffro swnllyd. Teimlwn fod yn rhaid imi wrando ar rai ohonynt ond dywedodd Duw "Peidiwch a gwybyddwch mai myfi sydd Dduw". Yna y daeth pryderon a gofalon a dyletswyddau bywyd; ond dywedodd Duw "Peidiwch." Ac wrth i mi wrando ac araf ddysgu ufuddhau a chau fy nghlustiau i bob sŵn, mi gefais

126b

yn y man, wedi peidio o'r holl leisiau neu wedi i mi beidio a'u clywed, bod llef ddistaw fain yn nyfnder fy mod a ddechreuodd lefaru a thynerwch mawr ac a nerth a ddiddanwch. Wrth i mi wrando daeth ataf lais gweddi a llais doethineb a llais dyletswydd. Nid oedd raid i mi feddwl na gweddio nac ymddiried mor galed. Yr oedd llef ddistaw fain yr Ysbryd Glân yn fy nghalon, yn weddi Duw yn fy enaid cyfrin, yn ateb Duw i'm holl gwestiynau, yn fywyd a nerth Duw i gorff ac enaid. 'Roedd yn sylwedd pob gwybodaeth a gweddi a bendith; canys y Duw byw ei hun ydoedd a'm bywyd a'm cyfan.

Dyma angen dyfnaf ein hysbryd. Ni fedrwn fynd drwy fywyd ar ruthr; ond rhaid inni gael oriau tawel, mannau dirgel y Goruchef, amserau aros am yr Arglwydd. Yna adnewyddwn ein nerth a dychwelwn i redeg heb flino ac i rodio heb ddiffygio.

126 a/b. Dyfyniad yw'r neges hon o *The Power of Stillness*, J. E. Southall (Cymdeithas Grefyddol y Cyfeillion).
Troswyd i'r Gymraeg gan Waldo ym 1968.

'Gwell imi ddechrau trwy sôn am ddau beth sydd gennym sydd yn apelio'n fawr ataf, un yn athrawiaeth a'r llall yn ymarfer: athrawiaeth fawr y Crynwyr, y Goleuni oddi mewn, a'r ymarfer o ddistawrwydd yn y cwrdd addoli.'
Paham yr Wyf yn Grynwr

127. 'Dyma'r panel a oedd yn gyfraniad y Crynwyr, Sir Benfro, i gynllun tapestri'r Crynwyr – cynllun a gychwynnwyd yn Nhŷ Cwrdd y Cyfeillion, Taunton. Ceir saith deg saith panel yn y cynllun, pob un yn dathlu gwedd ar weledigaethau'r Cyfeillion ers eu sefydlu gan George Fox ym 1652. Mae'r panel penodol hwn yn dathlu dyfodiad helwyr morfilod a ddaeth o ynys Nantucket i Aberdaugleddau ym 1792. Gwrthododd y Cyfeillion gefnogi'r naill ochr na'r llall yn Rhyfel Annibyniaeth America, ac o ganlyniad dioddefodd y diwydiant hela morfilod yn enbyd.
Y mae'r panel hefyd yn coffáu Waldo Williams (1904-1971), aelod o gyfarfod Aberdaugleddau, y bardd Cymraeg enwog a'r gwrthwynebwr cydwybodol, a garcharwyd ddwywaith am wrthod talu'r dreth a hynny mewn protest yn erbyn rhyfel Korea. Yr oedd ganddo bryder dwfn am wella amgylchiadau byw yn y Gymru wledig ac adfer y Gymraeg yn iaith swyddogol.'

'The Quaker Tapestry Guide in Colour':
Quaker Tapestry Scheme 1992

127

128

128. Pen-Caer gerllaw Pwllderi.

Pen-Caer cerrig llwydion, ardal lonydd
O'r drum oesol uwch erydr y meysydd,
Y Morfa a'r Ynys o'u mawr fronnydd
A'r caeau llafur yn marcio'u llefydd
Mewn awr ym min Iwerydd – Tri hyfryd
Ag arlliw golud gerllaw ei gilydd.

'Swyn y Fro', Beirdd Penfro

129

130

131

129. Tîm Sir Benfro yn Ymryson y Beirdd yn yr Eisteddfod Genedlaethol (Llandudno?); Idwal Lloyd, Tommy Evans, Waldo a W. R. Evans.

130. Eisteddfod Genedlaethol Caernarfon 1958: Llwyd Williams, T. Llew Jones, Sam Jones a Waldo.

131. Timau rownd derfynol Ymryson y Beirdd, yn yr Eisteddfod Genedlaethol. Yn y rhes flaen ceir Waldo, Y Parchedig Ithel Williams, Meuryn a Sam Jones.

132a/b. Nodyn o'r eiddo o gipiwyd oddi ar Waldo yn Nhachwedd 1954 am iddo wrthod talu un bunt a deugain ac un swllt ar bymtheg o Dreth Incwm.

132a

1954

DROSODD

104/D/1074.
Bk. 12/181/558. (First Instalment)

	£	s.	d.
Income Tax, Schedule(s) D , due for the year(s) ending 5 April, 1954	41	16	-
Land Tax due for the year(s) ending 24 March, 19			
War Damage Contribution due on 1 July, 194			
Costs:—			
Levy	1	13	7
Possession		5	-

To Mr. W. Williams,

of Great Harmeston Farm, Johnston.

TAKE NOTICE that I have this day distrained the several goods and chattels, specified in the Inventory written on the back hereof, in the premises now in your possession, situate at Great Harmeston Farm, Johnston.

in the County of Pembroke

for the sum of Forty One Pounds Sixteen Shillings.

being *Income Tax (~~and/or Land Tax/War Damage Contribution~~) due and described above and that the said goods and chattels will be sold unless such *Income Tax (~~and/or Land Tax/War Damage Contribution~~) with the costs of the distress be paid to me within FIVE DAYS from this date.

*Delete as necessary

Given under my hand this 4th day of November 1954.

Signed [signature] Collector of Taxes

Address Old Grove House, Hill Street, Haverfordwest.

A.G./C. No. 204A -1 2221 Wt36259/H/6765 24m 7/54 F A Gp602

132b

INVENTORY REFERRED TO OVERLEAF

In Lounge.

Three Piece Suite in Green Tapestry. (Bed-Settee)
Kitchen Cabinet.
Dining Table
Two Dining ~~Chairs~~.
Occasional Table.
CARPET.
CANE WEBB CHAIR
COAL SCUTTLE
Fire Tongs (BRASS)
CHEST OF DRAWERS.
WINDOW CURTAINS
AND RAIL.
BUCKET. PARAFFIN CAN.
KETTLE.
HEARTH-BRUSH

IN BEDROOM.

WARDROBE.
BOOK CASE.
CHEST OF DRAWERS.
~~MIRROR~~
CANE UPHOLSTERED CHAIR. (cover)
FLOOR BRUSH.
ONE ~~TWO~~ PIECE~~S~~ OF LINOLEUM.
WALL CHIMING CLOCK.

ENFIELD CYCLE.

SCALE OF DISTRAINT COSTS
where the total amount of Tax or War Damage Contribution to be recovered exceeds £20

For levying distress	4 per cent. on the first £50 of the amount to be recovered; 2½ per cent. on the next £150; and 1 per cent. on any additional sum.
For possession	Where a man is left in physical possession: 17s. 6d. per day (the man in possession to provide his own board). In any other case: a fee of 5s. in respect of the day on which the distress is levied; and, where walking possession is taken, 5s. for each day on which the goods are subsequently inspected.
For appraisement	6d. in the pound on the value as appraised, with a minimum fee of 10s. for each person by whom the appraisement is made.
For removal and storage of the goods	The reasonable costs and charges attending the removal and storage.
For advertisements	The sum actually and necessarily paid.
For catalogues, sale and commission, and delivery of goods	10 per cent. on the first £100 of the sums realised; 5 per cent. on the next £200; 4 per cent. on the next £200; 3 per cent. on the next £500; and 2½ per cent. on any excess over £1,000.

For the purpose of calculating any percentage charges a fraction of £1 will be reckoned as £1.

133a

Mae'n llwm — mae'r bwm wedi bod

DIM TRETH INCWM — MEDDAI'R BARDD

"GWRTHODAF DALU'R DRETH INCWM TRA BO GORFODAETH FILWROL AR GYMRU A THRA BO'R LLYWODRAETH YN DAL I WARIO MOR WALLGOF AR BARATOADAU RHYFEL."

Dyma ran o ddatganiad Mr. Waldo Williams y bardd Cymraeg, i Gomisiynwyr yr "Incwm Tacs" pan alwyd ef i egluro pam na thalodd ddim o'i dreth incwm er y flwyddyn 1949. Darlithydd yw Mr. Williams ar hyn o bryd mewn dosbarthiadau allanol o dan nawdd Coleg y Brifysgol, Aberystwyth. Yn sir Benfro y mae ei bedwar dosbarth, ac mae ei gartref yn Rhos Aeron, Glynderwen.

DWYN DODREFN

Gorchmynwyd gafael, beth amser yn ol, yn nodrefn Mr. Williams fel taliad cyfwerth. Disgrifiodd y bardd i mi ymweliad y bwmbeiliod a'i gartref. Cymerwyd ei ddodrefn i gyd, ac eithrio gwely a bwrdd a chadair. Cymerwyd y linolewm oddi·ar y llawr a'r glo o'r cwtsh glo; a hyd yn oed y glo o'r bocs ger y tan.

"Uchafwynt y driniaeth hon," meddai Mr. Williams wrthyf yn ei ddull hanner-direidus, "oedd cais y prif feili ar ôl iddo rolio'r linolewm yn daclus; gofynnodd imi am ddarn o gordyn i glymu'r rhol!" Dywedodd iddo golli ei feic hefyd—offeryn pwysig yn ei olwg, oblegid ar hwn yr aî i'w ddosbarthiadau. Mae un o'r rhain ym Mynachlog Ddu, sef taith o bum milltir ar hugain.

133b

Ar ôl gweld ei gelfi'n diflannu fel hyn, cyfansoddodd y bardd gywydd yn dechrau:

"Heno mae yma'n hynod.
Mae'n llwm! Mae'r bwm wedi bod."

Os ymddengys yr adwaith hwn yn ysgafn na thwyller chwi Mae'r bardd o ddifrif calon yn ei safiad.

GOFYN AM LYS CYHOEDDUS

Cynhaliwyd arwerthiant, wrth gwrs, ar ol ymweliad y bwmbeiliod. Gwerthwyd y beic am 30/-. Gwerthwyd grwp tridarn o ddodrefn parlwr am £15. Talodd y bardd yn gynharol ddiweddar, £75 amdanynt.

Wedi hyn daeth ymhen amser alwad am daliad arall. Pan wrthododd y bardd y tro hwn, gofynnodd am gael cyflwyno ei achos mewn llys cyhoeddus. Ni chaniatawyd hyn. Galwyd Mr. Williams yn hytrach i ymddangos yn Llundain ger bron y Meistr Diamond, a dywedwyd wrtho nad oedd ganddo hawl i wrandawiad cyhoeddus.

Dyfarnodd y Meistr Diamond yn erbyn cais Mr. Williams i gael ei ryddhau ar dir cydwybodol. Gwnaeth yn eglur iddo fod yn rhaid iddo dalu. Gwnaeth Mr. Williams yntau ddatganiaid pellach ei fod yn gwrthod talu. Gan nad oes ganddo ddodrefn bellach pa fodd y gorfodir ef? A yrrir y bardd i garchar oherwydd ei wrthodiad?

Mae wedi apelio yn y cyfamser, yn erbyn dyfarniad y Meistr Diamond. Y cam nesaf fydd ei ymddangosiad o flaen y Barnwr Pierce yn yr Uchel Lys yn Llundain.

133a/b. Adroddiad yn *Y Cymro*, Chwefror 23, 1956, yn dilyn ymweliad y bwmbeili â'i gartref:

'Gan fod llawer yn fy holi ynghylch fy helynt y dyddiau hyn, credaf y bydd yn rhaid i mi ysgrifennu gair o brofiad ac o eglurhad. I mi yr oedd gwrthod talu'r dreth incwm pan ddechreuais wneud hynny ryw bum mlynedd yn ôl yn weithred hollol syml, yn weithred ynddi-ei-hun yn ymateb personol i sefyllfa, ac allan o euogrwydd y cododd.

Yr ydych yn cofio rhyfel Corea, y modd y cafodd Taleithiau Unedig America ei ffordd yng Nghynhadledd y Cenhedloedd Unedig, a hynny drwy ddichell, i gychwyn trefniadau a rannodd y genedl anffodus honno yn ddwy a'r modd y rhuthrodd hi'r Cenhedloedd Unedig i ryfel wedyn mewn gwewyr rhag iddi golli cyfle i'r modd y dygwyd y rhyfel ymlaen.

Cawsom hanesion am erchyllterau mawr. Cawsom hanes gan un gohebydd am dyrru trigolion pentref i ysgubor fawr a rhoi honno ar dân …

Yr oedd Corea yn mynd ymlaen o ddydd i ddydd am yr un rheswm ag yr aethai Belsen ymlaen: am fod Awdurdod yn gweithredu a phobl yn anghofio. Teimlwn mai ein Belsen ni oedd Corea, Belsen America a Lloegr a Chymru. Teimlwn gywilydd hyd at drymder calon, ond pa beth a allem ni ei wneud? oedd ymateb pawb …

Pa ragor sydd felly rhwng gweriniaeth a dictaduriaeth o ran ei hymwneud â chenhedloedd eraill, yr agwedd bwysicaf ar ein hymarweddiad, y mae'n bosibl yn y byd sydd ohoni? Dyma fesur ein gweriniaeth, ein llywodraeth drwy gytundeb, dyma'n gywir pa mor rhydd ydym fel dinasyddion, fod gennym y rhyddid i anghofio, fel hwythau, ddeiliaid dictaduriaethau. Yr oedd rhyw dor yn ein bywyd gwleidyddol, atalfa rhwng y teimlad a'r ewyllys, nid oedd fodd i ni weithredu.

Yr agwedd fwyaf truenus ar y pen yma i'r sefyllfa oedd fod rhai o'r bechgyn ifanc yn cael eu caethgludo draw i gynorthwyo yn yr anfadwaith. Trwy'r ddeddf orfodaeth filwrol yr oedd rhyfel Corea yn y rhan waethaf ohoni, y rhan weithredol wedi goresgyn cartrefi Cymru. Ac ynghanol hyn penderfynais beidio â thalu'r dreth incwm, os penderfynu hefyd.

Pan oeddwn a'm bysedd am y pin ysgrifennu sylweddolais yn sydyn na allwn gyflawni'r weithred. Wedi hynny, o bryd i'w gilydd, myfyriais lawer wrth gwrs am y foment honno, ond ni chefais un rheswm i'w hamau, ond lawer tro cefais achos i gredu ynddi'n gryfach, ac y mae arnaf awydd sôn am y troeon hyn.'

Y mae'r ddau achlysur y cyfeiria atynt yn dra phwysig a thaflant oleuni ar deithi ei feddwl ac ar gerddi megis 'Yn Nyddiau'r Cesar', 'Yr Eiliad' ac 'O Bridd'. Y tro cyntaf oedd mewn cyfarfod o Urdd y Graddedigion a gynhaliwyd yn Hwlffordd ac a anerchwyd gan Is-ganghellor y Brifysgol. Dyma a ddywedodd.

'Cawsom gip ar drefniadau cyfewin fanwl pwyllgorau'r Weinyddiaeth Addysg yn gweithredu er lles ei chymdeithas ac yna wrth gofio'r sefyllfa gydwladol ar y pryd cefais drem ar ddeuoliaeth arswydus y wladwriaeth fodern, y drefn y tu mewn iddi a'r anhrefn rhyngddi a'i chymheiriaid, y naill fel y llall yn rhan o'i hanfod ac yn cyd-fodoli i'w chynnal, yn codi uwchlaw byd damwain ac achlysur yn egwyddorion parhaol. A chefais drem o'r newydd ar y ddeuoliaeth a yrrir arnom ni er mwyn derbyn ei manteision. Ac yn binacl ar y ddeuoliaeth hon yr oedd gorfodaeth filwrol yn amlygiad eithaf o'r gorffwylltra, fod dau ddyn, un o bob gwladwriaeth, wrth geisio talu ei ddyled i'r eiddo wrth wneud ei ddyletswydd yn union, yn ceisio tranc ei gilydd.

Nid rheidrwydd ond hunan-dwyll sydd yn cynnal y ddeuoliaeth arswydus, y rhith cred mai'r peth arferol yw'r peth ymarferol hefyd. Aethom yn greaduriaid ein sefyllfa, ond dod o'r peth arferol yn anymarferol yw diwedd pob sefyllfa hanesyddol.

Tro arall yr ymglywais â chadarnhau y foment oedd wrth weld llanciau yn derbyn yr ordinhad o fedydd. Un ohonynt cyn mynd oddi cartref i ymuno â'r llu awyr. Yn y pwll hwn y'm bedyddiwyd innau ar yr un oedran ag ef. Beth oedd fy nyletswydd ato yn awr?

134a

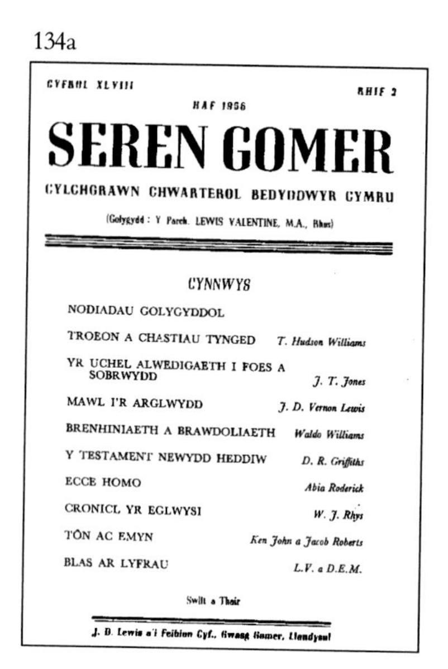

CYFROL XLVIII | RHIF 2

HAF 1956

SEREN GOMER

CYLCHGRAWN CHWARTEROL BEDYDDWYR CYMRU

(Golygydd : Y Parch. LEWIS VALENTINE, M.A., Rhos)

CYNNWYS

Swllt a Thair

J. D. Lewis a'i Feibion Cyf., Gwasg Gomer, Llandysul

134b

Brenhiniaeth a Brawdoliaeth

Gan Mr. Waldo Williams.

Ni olygir yma wrth frenhiniaeth y ffurf neilltuol honno ar lywodraeth gwlad, ond yr elfen orfodol, yr uchafiaeth ymarferol ar ei deiliaid sydd yn gyffredin i bob gwladwriaeth ac yn hanfodol i'n syniad amdani. Bu'r brenin am oesoedd yn amlygiad o'r awdurdod hwn ac erys o hyd yn sumbol amdano yn nychymyg dynion. Oherwydd yr elfen orfodol hon, yn dywedyd Gwna, Dos, Tyred, Tâl ac weithian Taw y mae'r wladwriaeth yn wahanol i'r gymdeithas yn ei dehongliad o'r gair Perthyn. Fel aelod y mae dyn yn perthyn i'w gymdeithas ond pan ddelo'r argyfwng sydd yn dadlennu'r gwirionedd fel eiddo y mae dyn yn perthyn i'r wladwriaeth. A chan fod y gwladwriaethau yn rhannu'r byd rhyngddynt nid oes gan ddyn ddewis ond bod yn eiddo ac yn wrthrych i frenhiniaeth. Dygymydd dynion â'r sefyllfa hon trwy wneuthur y wladwriaeth yn eu meddwl yn un â'r gymdeithas, neu'n well byth

Soniodd y Gweinidog, heddychwr dilys, am gwmwl tystion yn gwylio'r ordinhad, ac aeth fy meddwl i at lu mawr arall, at y miliynau o Gristnogion sydd led-led y byd yn yr oes hon yn gaethion i Gesar, a thrwy hynny yn elynion neu'n ddarpar elynion i'w gilydd.

Ac felly nid oes arnaf gywilydd o gwbl i mi ddarganfod fy ymateb yn hytrach na'i benderfynu. Hyd yn oed yn yr oes allanol hon, oes dyfais a chyfundrefn, erys rhyw ryddid anniddymol yn ei hanian. Mewn eiliad difwriad y tery'r wreichionen, dyna hanes profiad, a phrofiad hanes, pan ymglywo'r bersonoliaeth yn ddigyfrwng â'r sefyllfa, ac oni ymddiriedwn yn yr ymateb hwn ofer yw pob cymorth arall. Dyma'r dirfod disgwylgar sydd yn barod i dderbyn yr hanfod dieithr. Ond y mae'n rhaid iddo ei chwilio a'i brofi a'i ddehongli iddo'i hun.'

Y Faner, Mehefin, 1956

134a/b. Cynhaliwyd Undeb Bedyddwyr Cymru yn Hermon, Abergwaun, Mai 7-10, 1956, a gwahoddwyd D. J. Williams i annerch y Gymdeithas Heddwch. Testun D.J. oedd 'Cymru a'r Trydydd Gwersyll', ond oherwydd afiechyd nid oedd modd i D.J. gadw'r cyhoeddiad. Waldo a gymerodd ei le, ac yn y cyfarfod hwnnw, dydd Mercher Mai 9, y traddododd Waldo yng Nghapel y Tabernacl (Annibynwyr) ei anerchiad 'Brenhiniaeth a Brawdoliaeth'. Cyhoeddwyd nodiadau'r anerchiad yn *Seren Gomer,* cyf. XLVIII, rhif 2, Haf 1956, a dyma a ddywed y Golygydd, y Parchedig Lewis Valentine, amdani:

'Nodiadau yn unig o araith Mr Waldo Williams a roir yma, ni ellir byth atgynhyrchu awyrgylch y cyfarfod rhyfedd hwnnw. Yr oedd si ar led yn Abergwaun y cyhoeddir yn o fuan gyfrol o farddoniaeth Waldo, a bydd hynny yn ddigwyddiad o bwys mawr i Gymru. Ni bu dim dewrach yn ein cenhedlaeth ni na safiad Waldo Williams yn erbyn rhyfel – os gwn i faint ohonom a ddeallodd ystyr y gwrthwynebiad hwnnw? Bydd myfyrio'r ysgrif yma yn help i ddeall hynny, gobeithio.'

135. 'Y bwlch' rhwng y ddau gae. Yn y llun gwelir Jonny Bowen, perchen y tir a ffrind mynwesol Waldo.

> Am hyn y myfyria'r dydd dan yr haul a'r cwmwl
> A'r nos trwy'r celloedd i'w mawrfrig ymennydd.
> Mor llonydd ydynt a hithau a'i hanadl
> Dros Weun Parc y Blawd a Parc y Blawd heb ludd,
> A'u gafael ar y gwrthrych, y perci llawn pobl.
> Diau y daw'r dirhau, a pha awr yw hi
> Y daw'r herwr, daw'r heliwr, daw'r hawliwr i'r bwlch,
> Daw'r Brenin Alltud a'r brwyn yn hollti.

'Mewn Dau Gae'

'Nid oes dim a'n rhyddhâ ond yr ymateb rhwng personau. Y mae tynerwch at ddioddefiadau eraill yn arweinydd trwy fannau sydd yn ddyrys i'r rheswm oni ddeffroir ef gan y dychymyg.

Ni wna dim y tro ond inni wynebu ein heuogrwydd a'i droi'n gydwybod, a chydwybod yn gyfrifoldeb. Yna try ein cyfrifoldeb yn weledigaeth. Ond hyn sydd yn anodd gennym.

> 'Sometimes when alone
> At the dark close of day
> Men meet an outlawed majesty
> And hasten away.'

meddai'r bardd Gwyddelig A.E. Ond nid oes dim ond yr unigrwydd hwn a'n dwg ni, trwy'r Brenin Alltud, i'r berthynas iawn â'n gilydd.'

Waldo Williams, Baner ac Amserau Cymru, Mehefin 20, 1956

135

'Yn y bwlch rhwng y ddau gae tua deugain mlynedd yn ôl sylweddolais yn sydyn ac yn fyw iawn, mewn amgylchiad personol tra phendant, fod dynion, yn gyntaf dim, yn frodyr i'w gilydd.'

Waldo Williams mewn llythyr at Olygydd Baner ac Amserau Cymru, Chwefror 13, 1958

136a

Great Harmeston, Johnston, Hwlffordd.
15 Hydref 1956

Annwyl D.J.
Eich cwestiwn imi oedd
a fuaswn i wedi meddwl am
gyhoeddi fy ngwaith onibae i
Bwyn ei gasglu. Wrth gwrs yr
oeddwn wedi meddwl. Wedi trafod
y peth gyda Linda sawl gwaith;
a phan oedd hi yn yr ysbyty un
tro pan oeddwn i'n meddwl ei
bod yn dechreu gwella gwnaethum
gasgliad o nifer o ganeuon
with eu teitlau a fuasai'n
gwneud llyfr o tua 60 - 70 td.
ar wahân eu cyhoeddi a'u
cyflwyno iddi pan ddelai hi
allan.

136b

wedi iddi farw nid oeddwn yn
teimlo am rai blynyddoedd
y gallwn gyhoeddi fy ngwaith
am dro ond deuthum i feddwl
eto am wneud, dim ond imi
ysgrifennu awdl eto yn gyntaf.
Wedyn pan ddaeth Rhyfel Korea,
chwi wyddoch fel yr oeddwn i'n
teimlo am fy nghaneuon
heddwch. Yr oeddwn i'n teimlo
y byddai eu cael gyda'i gilydd
mewn llyfr yn ofnadwy, yn
rhagrithiol, ac yn annioddefol
heb fy mod yn gwneud ymdrech
i wneud rhywbeth heblaw canu
am y peth hwn.

137

138

THE ARTS COUNCIL OF GREAT BRITAIN
CYNGOR CELFYDDYD PRYDAIN FAWR

Chairman: SIR KENNETH CLARK, K.C.B., LL.D., F.B.A. Secretary-General: SIR WILLIAM EMRYS WILLIAMS, C.B.E.
Chairman of the Welsh Committee: PROFESSOR GWYN JONES
DIRECTOR FOR WALES · MISS MYRA OWEN, O.B.E.
29 PARK PLACE, CARDIFF
CARDIFF 23488

4th February 1958

Dear Mr. Waldo Williams,

It is with great pleasure that I write on behalf of the Welsh Committee of the Arts Council to offer you an award of £100 (one hundred pounds). This award is offered to you to mark the Committee's appreciation of your book of Welsh verse entitled 'Dail Pren'.

If you agree to accept the above offer, Dr. William Thomas has been asked to present a cheque to you on behalf of the Welsh Committee and your signature on the attached letter is the only acknowledgement which we require.

With all good wishes,

Yours sincerely,

Myra Owen.

Director for Wales

Waldo Williams Esq.,
Great Harmeston,
Johnston,
Nr. Haverfordwest.

136a/b. Llythyr oddi wrth Waldo at D. J. Williams yn ateb ei gwestiwn parthed casglu'r cerddi a gweld eu cyhoeddi. Dengys rhan olaf y llythyr mor annatod yw gweithredoedd a cherddi'r bardd. Onid oedd wedi ymdeimlo i'r byw â beirniadaeth Gandhi ar Tagore: 'Rhowch i ni weithredoedd ac nid geiriau'.

137. Yma yn 36 Heol Non, lle ganwyd a magwyd y Golygydd, byddai Waldo yn dod i ymweld â'r teulu'n rheolaidd yn y Pumdegau. Yn ystafell ffrynt y tŷ hwn y gwelodd y Golygydd broflenni cyntaf *Dail Pren* a lle buwyd yn trafod yr addaster o gynnwys awdl 'Tŷ Ddewi' yn y gyfrol.

138. Llythyr Miss Myra Owen (Chwefror 4, 1958) yn hysbysu Waldo ei fod i dderbyn £100 gan Gyngor y Celfyddydau (Cymru) am *Dail Pren*.

139

THE COUNCIL OF SOCIAL SERVICE FOR WALES AND MONMOUTHSHIRE (Inc.)
CYNGOR GWASANAETH CYMDEITHASOL CYMRU A MYNWY (Corff.)

DIRECTOR - - DR. WM. THOMAS, C.B.
ASSISTANT DIRECTOR AND SECRETARY - J. B. EVANS, O.B.E.

TEL.: CARDIFF 21456

2, CATHEDRAL ROAD,
CARDIFF.

Chwefror 4ydd

Annwyl Waldo

Mae Cyngor y Celfyddydau (Cymru) wedi penderfynu rhoddi Can punt i chwi am eich cyfraniad pwysig i Lenyddiaeth Cymru. Gofynnwyd i mi (a diolchaf am yr anrhydedd) i gyflwyno'r siec i chwi.

Byddaf yn Hwlffordd dydd Llun nesaf (10fed) A gawn ni gwrdd yno [illegible] rhwng 10.30 a 11am. ar bwys Green yr Ironmonger, nau dde? Gair i Drefloyne os gwelwch yn dda.

Cofion cynnes
Bill

139. Llythyr y Dr William Thomas, Trefloyne, Sir Benfro (cyn Brif-arolygydd Ysgolion Cymru) yn hysbysu Waldo mai ef a gafodd yr anrhydedd o gyflwyno'r siec iddo.

Sylwer erbyn heddiw mai'r arfer yw cyflwyno'r gwobrwyon hyn ar achlysur cyhoeddus mewn gwesty yng Nghaerdydd neu Abertawe, neu yn Amgueddfa Sain Ffagan. Ond y mae'n bur debyg mai gerllaw

140

THE ARTS COUNCIL OF GREAT BRITAIN
CYNGOR CELFYDDYD PRYDAIN FAWR

Chairman: SIR KENNETH CLARK, K.C.B., LL.D., F.B.A. Secretary-General: SIR WILLIAM EMRYS WILLIAMS, C.B.E.
Chairman of the Welsh Committee: PROFESSOR GWYN JONES
DIRECTOR FOR WALES · MISS MYRA OWEN, O.B.E.
29 PARK PLACE, CARDIFF
CARDIFF 23488

4th February 1958

My Dear Bill,

I am enclosing a cheque for £100 made out to Mr. Waldo Williams and a letter addressed to him making this offer of an award, also a letter addressed to myself. Mr. Waldo Williams's signature on the letter addressed to me is all that is necessary in acknowledgement of the award should he agree to accept it after he has seen the letter of offer.

I have left the two letters concerned unsealed so that you can see what I have said to Mr. Waldo Williams, and all you have to do is to present the one which I have addressed to myself for his signature should he accept the award.

Yours ever,

Myra

Director for Wales

Dr. William Thomas, C.B.,
Director,
Council of Social Service for Wales and Monmouthshire,
2 Cathedral Road,
Cardiff.

'Green yr Ironmonger' yn Hwlffordd y derbyniodd Waldo'r siec! Yn ddiweddarach aeth Waldo i weld Syr Ben Bowen Thomas, a oedd ar y pryd yn Gadeirydd Gweithredol U.N.E.S.C.O., gan gyflwyno'r arian i U.N.E.S.C.O. er mwyn hybu addysg tuag at heddwch yn y byd.

140. Llythyr Miss Myra Owen (Chwefror 4, 1958) at Dr William Thomas yn ei hysbysu mai ef oedd i gyflwyno'r wobr i Waldo.

141

THE ARTS COUNCIL OF GREAT BRITAIN
CYNGOR CELFYDDYD PRYDAIN FAWR

Chairman: SIR KENNETH CLARK, K.C.B., LL.D., F.B.A. Secretary-General: SIR WILLIAM EMRYS WILLIAMS, C.B.E.
Chairman of the Welsh Committee: PROFESSOR GWYN JONES
DIRECTOR FOR WALES · MISS MYRA OWEN, O.B.E.
29 PARK PLACE, CARDIFF
CARDIFF 23488

18th February 1958

Dear Mr. Waldo Williams,

Thank you very much for your letter of February 18th. I am delighted to know that the award of £100 made to you by my Welsh Committee has pleased you.

Although I have no pretentions to being a poet myself, I think I can still appreciate the loneliness which now and again affects you when you have been withdrawn into yourself, as all creative minds require to do when endeavouring to express themselves. It is therefore all the more delightful to know that the results of your creative inspiration have pleased and delighted others. Our judges were of the unanimous opinion that the award should be made to you and indeed it was intended as a very real tribute to you for your book of Welsh verse 'Dail Pren'.

With all good wishes,

Yours sincerely,

Myra Owen

Director for Wales

Waldo Williams Esq.,
Great Harmeston,
Johnston,
Haverfordwest,
Pem.

142

Ebeneser, Eglwys y Bedyddwyr, Rhydaman.

(Ebenezer Welsh Baptist Church, Ammanford.)

Trysorydd (Treasurer): T. S WILLIAMS, M.A., Hafan Deg, 33 Pentwyn Road, Ammanford, Carms.

Gweinidog (Minister): Parch. E. LLWYD WILLIAMS, Bryn Estyn, College Street, Ammanford, Carms. Telephone: No. 3168.

Ysgrifennydd (Secretary): E. V. WILLIAMS, Tynewydd, Garnswl, Ammanford, Carms.

10/3/58

Annwyl Waldo/. Yr oedd llawenydd mawr ar yr aelwyd hon pan glywsom am yr anrhydedd a'r clod a ddaeth iti trwy'r gyfrol 'Dail Pren'....

Rhodiaist yn llaw yr awen – i lain camp
Plannu coed yn gymen,
Anadlu pridd a Dail Pren
Y Wlad sy'n ail i Eden.

Llongyfarchiadau calon. A hwyl i ganu eto.

Ar ôl gwneu'r 'bwndel' olaf iti cofiais imi adael allan y Dr. Wm Edwards yn Login. Bydd rhaid cofio amdano ef a'i frawd Olifer cyn mynd i'r print. Cyfrol o waith Tilsley yw'r nesaf ar raglen barddoniaeth y Dryw. Yr wyt ti wedi dihuno'r beirdd i gyd!

Hwyl fawr,
Llwyd.

141. Ateb Miss Myra Owen i lythyr Waldo yn dweud ei fod yn barod i dderbyn y wobr.

142. Llythyr Llwyd yn llongyfarch Waldo.

143a

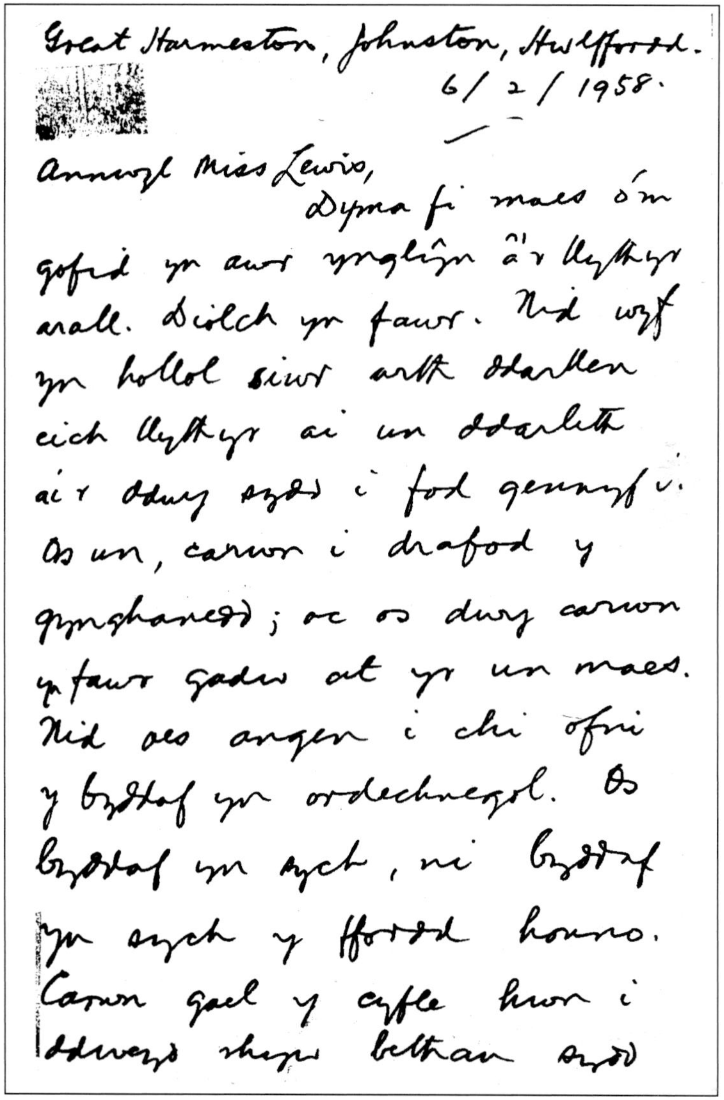

Great Harmeston, Johnston, Hwlffordd.
6/2/1958.

Annwyl Miss Lewis,
Dyma fi maes o'm gofid yn awr ynglŷn â'r llythyr arall. Diolch yn fawr. Nid wyf yn hollol siwr wrth ddarllen eich llythyr ai un ddarlith ai'r ddwy sydd i fod gennyf i. Os un, carwn i drafod y gynghanedd; ac os dwy carwn yn fawr gadw at yr un maes. Nid oes angen i chi ofni y byddaf yn ordechnegol. Os byddaf yn sych, ni byddaf yn sych y ffordd honno. Carwn gael y cyfle hwn i ddweyd rhywbeth sydd

143b

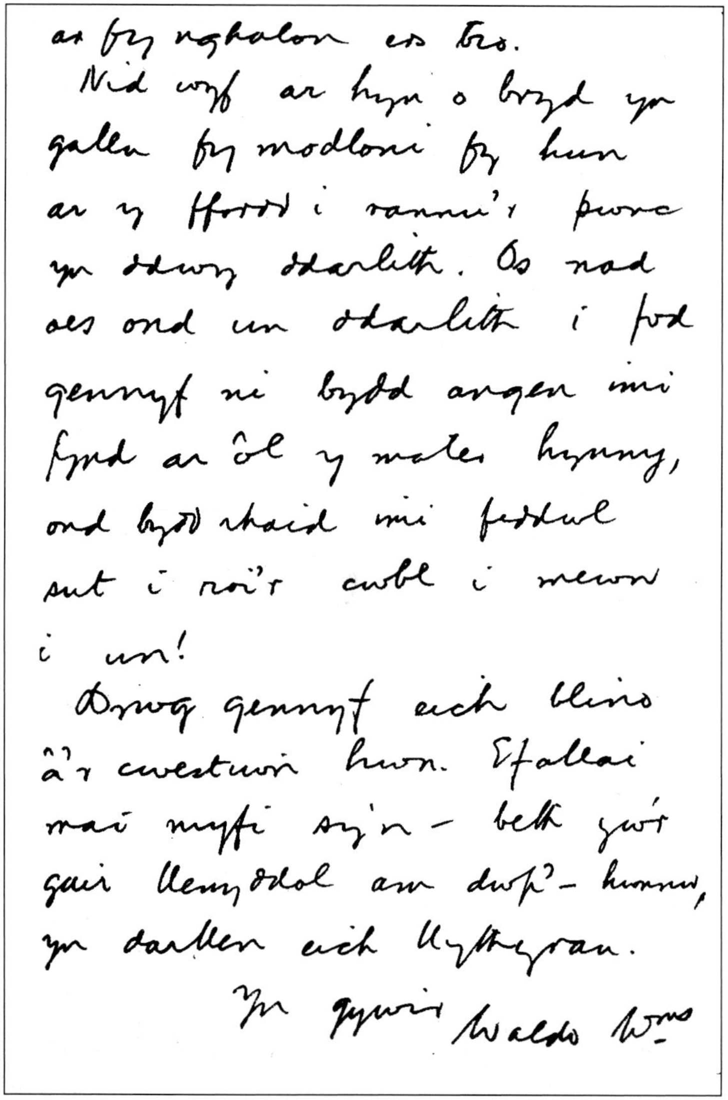

ar fy nghalon er tro.
Nid wyf ar hyn o bryd yn gallu fy modloni fy hun ar y ffordd i rannu'r pwnc yn ddwy ddarlith. Os nad oes ond un ddarlith i fod gennyf ni bydd angen imi fynd ar ôl y mater hynny, ond bydd rhaid imi feddwl sut i roi'r cwbl i mewn i un!
Drwg gennyf eich blino â'r cwestiwn hwn. Efallai mai myfi sy'n – beth yw'r gair llenyddol am dwp? – hwnnw, yn darllen eich llythyrau.

Yn gywir, Waldo Wms

144

143 a/b. Llythyr gan Waldo at Miss Brenda Lewis, Porth Tywyn – llythyr a ddengys ei fawr ofal wrth ystyried traethu ar ei bwnc.

144. Waldo – adeg etholiad Medi 1959.

145

146

146. Yn union o flaen yr hen groes Geltaidd hon a saif ar sgwâr Tyddewi y traddododd Waldo ei anerchiad cyntaf fel ymgeisydd seneddol Plaid Cymru ym Medi 1959. Rhyw ddwsin mwy neu lai a eisteddai ar y grisiau'n gwrando arno. Dychwelodd i Dyddewi i draddodi'r anerchiad olaf yn yr ymgyrch yn Neuadd y Ddinas. Cadeiriwyd y cyfarfod hwnnw gan J. J. Evans, Prifathro Ysgol Dewi Sant, a'r neuadd yn llawn. I Waldo yr oedd arwyddocâd arbennig i gychwyn a chloi'r ymgyrch yn Nhyddewi.

145. Eirwyn Charles, gynt o'r Glasfryn ger Mesur-y-dorth, Sir Benfro. Graddiodd gydag anrhydedd mewn mathemateg yng Ngholeg Prifysgol Cymru, Aberystwyth, ym 1951. Bu ganddo ddiddordeb mawr mewn canu, a chanddo lais baswr godidog, a chanodd mewn amryw wledydd. Ef oedd 'agent' Waldo yn etholiad 1959. Gŵr gwreiddiol ac anghonfensiynol, a adawodd ei ôl ar yr etholiad.

147a. Etholiad 1959. Taflen a gyhoeddwyd gan yr 'agent' Eirwyn Charles adeg yr etholiad. Yr oedd y dywediad 'A vote for Waldo is a Vote for Wales' yn ffefryn gan Eirwyn Charles wrth iddo ymgyrchu gyda'i gorn siarad o bentref i bentref yn y Sir yn ystod hydref 1959.

147b. Anerchiad Waldo a anfonwyd at yr etholwyr drwy'r post, Medi 1959.

147a

A
Vote for Waldo
IS A
Vote for Wales
Published by Eirwyn Charles, Election Agent, Glasfryn, Trevine, and Printed by C. I. Thomas & Sons Ltd., Western Telegraph Offices, Bridge Street, Haverfordwest.

147b

Dear Electors.

I am sorry I may not be able to visit your immediate neighbourhood in the short time left. I will gather my message under three heads.

Peace.

If you elect me, I will call for unilateral nuclear disarmament as a moral lead by Britain. One H-bomb would kill hundreds of thousands and make monstrosities of children yet unborn. But there is a new spirit abroad. Let us seize the occasion.

Self Government for Wales.

We can afford it. We are 5% of the population of Britain. We produced last year 99% of the tinplate, 89% of the sheet steel, 29% of the crude steel, 12% of the coal, 40% of the aluminium. Our national product was £780,000,000, and our contribution to government funds £220,000,000.

It is the duty of every nation to govern itself. We could make Wales a really modern country producing, for example, motor vehicles and agricultural machinery. We could find work for more people, raise our standard of living, and brighten our social life with a greater variety of occupations.

Plaid Cymru wants to encourage co-operation in agriculture; and in the industries, to give the workers a share in the control. All this would mean better prospects for young people in their own land, more happiness in work, and safer retirement (New Zealand, with two-thirds our population, gives a retirement pension of £8 a week for man and wife).

I believe that Self government would invigorate our national culture, and contribute to the British Commonwealth and the world.

Pembrokeshire.

My native county. I would urge now such matters as the processing of Pembrokeshire timber in Pembrokeshire; the spending of more money on land improvement and rural amenities, the encouragement of the tourist industry in our beautiful county, and an inquiry into the state of the fishing industry.

Dywed Plaid Cymru y dylai Prydain roi arweiniad moesol trwy ymwrthod â'r arf niwclar. Dywed hi mai dyletswydd cenedl yw ei llywodraethu ei hun. Mae gan Gymru gyfoeth mawr. Gallai hi wneud y defnydd priodol ohono a gwneud bywyd yn llawnach a hapusach i bawb. Byddai hunan lywodraeth yn deffro ein hegni creadigol yn llawnach ac yn rhoi nerth newydd i'n hen ddiwylliant.

The two major parties in Westminster are ruled by party machines that allow their members little freedom.

A VOTE FOR PLAID CYMRU WILL BE A VOTE FOR DEMOCRACY.

Yours sincerely,

Waldo Williams.

148a

:: OLL AG YMREOLAETH :: OND NID CYMRU :: GWLAD YR IA :: PORTWGAL :: GROEG :: OLL AG YMREOLAETH :: OND

I BLAID CYMRU

YW'R HYN A DDWG

Chwarae teg i Gymru

GAN Y LLYWODRAETH AM 5 ML. NESAF

D. ORWIG JONES (Arfon)

L. BOWEN REES (Conwy)

TRYWERYN

("I'll do it again," medd Henry Brooke)

Fel "Tryweryn" a "Nantlle"
Ein tynged a fydd
Nes fotiwn yn lluoedd
Tros Blaid Cymru rydd.

H. T. EDWARDS

"Mae'r Blaid Lafur wedi colli ei gweledigaeth i Gymru.
"Mi fydd yn wers dda iddi, ac i'r Toriaid, os gwna pawb gefnogi Plaid Cymru."
(Ac mae llu WEDI troi—o Ffestiniog i Gwmllynfell, etc., etc.)

MEDD TORI

"It would not be at all a bad thing if the Welsh Nationalists polled a sizeable vote in this election.
"IT IS TIME the Conservatives became aware that a large number feel that Wales is treated CASUALLY."
—Papur Toriaidd South Wales Echo (Medi 16, 1959).

Pleidlais Fawr i roi STOP

Dr. D. ALUN JONES (G. Dinbych)

1. AR DORRI ADDEWIDION

PUM ADDEWID PENDANT LLAFUR, 1945:

1. Ysgrifennydd i Gymru.
2. Awdurdod Cynllunio i Gymru.
3. Atal yr Ymfudo o Gymru.
4. Corfforaeth Radio i Gymru.
5. Ffordd Ganol i Gymru.

NI CHYFLAWNWYD DIM UN—TWYLL RHONC

2. AR DDIFFYG GWAITH

Nid oes mwy mewn gwaith yng Nghymru heddiw nag yn 1921.

Mae bywoliaeth i dros 10,000,000 mwy **yn Lloegr** ers 1921.

A diffyg gwaith yng Nghymru bob amser yn ddwywaith gwaeth nag yn Lloegr.

Bydd Pleidlais fawr i'r Blaid yn symud y Llywodraeth i drefnu gwaith i Gymru.

NEFYL WILLIAMS (G. Fflint)

Dr. GARETH EVANS (Ceredigion)

RHAID *cael*

YMREOLAETH

AR FRYS

i achub Cymru

ELYSTAN MORGAN (Wrecsam)

WALDO WILLIAMS (Penfro)

H. HEULYN ROBERTS (Caerfyrddin)

YN IAWN : TALU

Gwyr PAWB mai Ymreolaeth sy'n IAWN i bob cenedl—ac i Gymru.

A ALL CYMRU GYNNAL EI HUN?

1. Mae ffiguraur Dr. Nevin, "Accounts of the Welsh Economy, 1948-56" (Gwasg y Brifysgol) yn PROFI y gall, yn rhwydd.

2. Un ffigur: Gwerth Cynnyrch Cymru 1956, £785,000,000 (Cymharer Eire 1952, £405m.).

3. Ffigur arall: Holl gost addysg Cymru i'r Llywodraeth 1952, £15,100,000.

Treth ar Gwrw a aeth o Gymru i'r Llywodraeth 1952, £16,000,000.

"MAWR ELW FYDD YMREOLAETH"

PLEIDIAU SEISNIG:

POB cenedl OND Cymru

TORI: "Hunan-lywodraeth . . . dyna ddelfryd y mae Ceidwadwyr yn credu'n angerddol ynddi." —Arglwydd Hailsham.

TORI: "Ni allwn ni dderbyn unrhyw awgrym o Senedd i GYMRU."—Mr. Butler.

LLAFUR: ". . . tros Ymreolaeth i BOB cenedl."—Cynhadledd Llafur 1954.

LLAFUR: ". . . yn erbyn Ymreolaeth i Gymru."—Yr un Gynhadledd, 1954.

YDYN NHW'N MEDDWL MAI FFYLIAID YDYM!

:: ISRAEL :: NIGERIA :: MOROCO :: OLL AG YMREOLAETH :: OND NID CYMRU :: GHANA :: CANADA :: NEW ZEALAND :: OLL AG YMREOLAETH :: OND NID CYMRU :: HOLAND :: BELG :: LUXEMBURG

OND NID CYMRU :: DENMARC :: IWERDDON :: OLL AG YMREOLAETH :: OND NID CYMRU :: NORWY :: SWEDEN :: FFINLAND :: OLL AG YMREOLAETH :: OND NID CYMRU :: ISRAEL :: NIGERIA :: MOROCO

148b

Dr. GWYN GRIFFITHS (Gŵyr)

LLADD CYMRU

Yr iaith yn marw (1800=80 y cant yn ei siarad; 1951=28 y cant).

Dim gwasanaeth Teledu i Gymru.

Dim Theatr Genedlaethol, dim Tŷ Opera, etc., etc.

Mae'r genedl mewn perygl einioes.

SAIS

Ei neges i bob Cymro

"We English would never allow the Germans or Russians or any others to govern us.

"You Welsh don't be such fools as to let the English government and the English parties exploit and rule you."
—W. J. Taylor of Common-Wealth Party.

GODRO CYMRU

(Ffiguraur Dr. Nevin, 1956)

Trethi Cymru i Lundain £220m.

Yn ol i Gymru o Lundain £163m.

Holl grantiau i'r Cynghorau Lleol £29m.

Treth dybaco o Gymru £30m.

CHRIS REES (D. Abertawe)

ILLTYD LEWIS (Aberafan)

Ymunwch i SYMUD *y*

BAN RADIO

Y BAN—PWY?

Y STORI: Aeth arweinwyr Llafur (Morrison, Morgan Phillips, etc.) at arweinwyr y Toriaid (Mr. Butler, etc.).

Yna aethant oll at y Postfeistr Cyffredinol,

A'i gael ef i roi'r BAN i rwystro Plaid Cymru rhag cael darlledu.

Y PLEIDIAU SEISNIG A'R LLYWODRAETH SY'N GYFRIFOL.

"DIEFLIG"

"Gormes ddieflig yw: Er 13 mlynedd yn rhwystro Plaid Cymru rhag cael Un darllediad gwleidyddol piaid. Hwythau'r pleidiau Seisnig yn darlledu o hyd.

"Sarnu egwyddorion cysegredig rhyddid llafar, a hawliau lleiafrifoedd."—T.I.

Y BAN—PAM?

I rwystro Plaid Cymru rhag rhoi ei neges Gymreig.

I rwystro i'r Cymry rhag clywed y neges lawn—a'i CHREDU.

Gwyr y Pleidiau Seisnig mai'r "teledu a radio yw'r cyfrwng grymusaf heddiw."

OFNANT golli pleidleisiau: ofnant gynydd y Blaid.

GLYN JAMES (G. Rhondda)

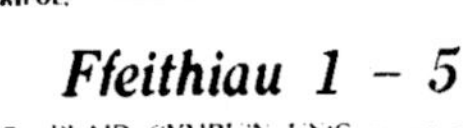

1. PLAID CYMRU'N UNIG sy yn erbyn arbrofi, defnyddio, gwneud a chadw Bomiau Niwcliar: sy'n berygl i barhad dynoliaeth.
2. PLAID CYMRU'N UNIG yw plaid yr ifanc plaid sy'n cynyddu—ie'n gyflym.
3. PUNCH: "Oes, y MAE gwahaniaeth rhwng pleidiau Llafur a Thori: mae un I MEWN a'r llall ALLAN"!!!
Dim ond hynny yw'r gwahaniaeth o bwys
4. GYDAG UN o Blaid Cymru wedi ennill sedd, ac wedi torri trwy fur y pleidiau Seisnig, ni bydd Cymru oll fawr o dro'n dilyn.
5. MEDD JOHN L. LEWIS, U.D.A., Undebwr Llafur enwocaf y byd: "Pe bawn o'r un oed a Gwynfor Evans, ac yng Nghymru, mi fyddwn i gydag ef yn y gwaith." ("I'd be right with him on the job.")

NOEL WILLIAMS (D. Rhondda)

KEN THOMAS (Aberdâr)

JOHN HOWELL (Caerffili)

Cefnogwch –

LES MORGAN (Pontypwl)

BLAID CYMRU

EMRYS ROBERTS (G. Caerdydd)

I RYDDHAU CYMRO

DYMUNAF ymuno ym Mhlaid Cymru. Amgaeaf £ s. d. (Lleiafswm 2/6).

M.......................................

....

....

Postiwch i: J. E. Jones, Ysg. Cyff., Plaid Cymru, 8, Queen Street, Caerdydd.

OLL AG YMREOLAETH :: OND NID CYMRU :: GWLAD YR IA :: PORTWGAL :: GROEG :: OLL AG YMREOLAETH :: OND NID CYMRU :: GHANA :: CANADA :: NEW ZEALAND :: OLL AG YMREOLAETH :: OND NID CYMRU :: HOLAND :: BELG :: LUXEMBURG

148a/b. Ymgeiswyr Plaid Cymru yn Etholiad 1959.

149. Cwm-yr-Eglwys.

Arglwydd, bugail oesoedd daear,
  Llwyd ddeffrowr boreau'n gwlad,
Disglair yw dy saint yn sefyll
  Oddi amgylch eu tref-tad;
Rhoist i ni ar weundir amser
  Lewyrch yr anfeidrol awr,
Ailgynheaist yn ein hysbryd
  Hen gyfathrach nef a llawr . . .

Rhoddaist Frynach inni'n Fabsant,
  Cododd groes uwchben y don,
Storm o gariad ar Golgotha
  Roes dangnefedd dan ei fron.
Frynach Wyddel, edrych arnom,
  Llifed ein gweddïau ynghyd,
Fel y codo'r muriau cadarn
  Uwch tymhestloedd moroedd byd.

Dinistriwyd hen eglwys Cwm-yr-Eglwys, a gysegrwyd i Sant Brynach, ym Medi 1859 mewn storm (yr un noson ag y suddodd y Royal Charter) gan adael talcen yr adeilad yn unig ar ei draed.

Ym 1959 ar achlysur canmlwyddiant y dinistr gofynnodd y Parchedig Gerwyn Stephens, Ficer Dinas Cross (a brawd i Tom Stephens 'y Gwron o Dalgarreg') i Waldo gyfansoddi emyn ar gyfer y gwasanaeth coffa. Cyhoeddwyd yr emyn yn *Beirdd Penfro*.

149

150

151

150. Ysgol Ganolradd 'Coronation' Doc Penfro. Yma yr oedd Waldo'n cynnal ei ddosbarthiadau nes tymor yr hydref 1960, pan oedd warant allan i'w arestio am rai wythnosau – ac yntau heb ei bresenoli ei hun yn y Llys yn Hwlffordd pan wrthododd dalu treth yr incwm.

151. Tregenna, Ffordd Uchaf Lamphey, Penfro.
Bûm yn byw yn y tŷ hwn 1959-63 ac yma y byddai Waldo'n dod yn rheolaidd pan fyddai'n cynnal dosbarthiadau nos yn Noc Penfro. Wrth fynedfa'r tŷ hwn y safodd plismon un nos ym 1960 a gwarant allan gan blismyn y Sir i'w 'restio a Waldo yn y car gyda mi. Pan welodd Waldo'r plisman aeth am ei fag a dywedodd wrthyf, 'Nid wyf am fynd i'r gell heno. Y mae gormod o annwyd arnaf. 'Neidiais allan o'r car a mynd yn syth at y plismon. 'Where does Mr Richards live?' gofynnodd' 'Next door but one' dywedais, ac i ffwrdd ag ef. Cafodd Waldo ddihangfa waredigol dros dro.

152. *Y Cymro*, Medi 8, 1960. Carchariad cyntaf Waldo – anfonwyd ef i garchar Abertawe.

> O gwae'r nos, bu digio'r nen:
> Uwch ein sir ni chawn seren,
> Gwae'r un fu'n gyrru heno
> A dwyn y glân o dan glo;
> Rhoi preswyliwr Preselau,
> Llyw y gerdd, yn y gell gau.
> Un rhan o'i ing ni ŵyr neb –
> Trech ei wên na'r trychineb.

'Waldo (mewn carchar dros heddwch)',
James Nicholas, Olwynion

152

SEPTEMBER 8, 1960

MEDI 8, 1960 PRIS 4c.

Anfon Waldo i'r carchar

DIM INCWM TACS AT ORFODAETH FILWROL

ANFONWYD Waldo Williams, y bardd, i garchar am chwech wythnos yn Hwlffordd, ddydd Llun, oherwydd iddo wrthod talu £15 4s o dreth incwm.

Dywedodd wrth y Fainc y medrai dalu'r arian, ond gwrthodai wneud hynny fel protest yn erbyn gorfodaeth filwrol.

Pan ddywedodd y clarc Mr. J. Eaton Evans, wrtho yr anfonid ef i garchar oni thalai atebodd Mr. Williams: "'Rwy'n sylweddoli hynny."

Y CYWYDD

Cychwynnodd y bardd ei brotest yn erbyn gorfodaeth filwrol drwy wrthod talu'r dreth incwm rai blynyddoedd yn ol bellach. A phan anfonwyd bwmbeili i'w gartref i symud dodrefn oddi yno ysgrifennodd gywydd gwych i ddisgrifio'r achlysur.

Waldo Williams, sy'n 55 oed, oedd ymgeisydd Plaid Cymru yn sir Benfro yn yr Etholiad Cyffredinol diwethaf. Meddai un o swyddogion y Blaid: "Yr ydym yn falch fod gennym aelodau ac ymgeiswyr seneddol o galibr Mr. Waldo Williams, gwr a wyneba garchar yn hytrach na chyfaddawdu ar ei argyhoeddiad yn erbyn darpariadau rhyfel.

ANWYLAF

"Mr. Williams yw un o'r personoliaethau anwylaf ym mywyd cyhoeddus Cymru ac y mae Cymru bob amser wedi edmygu y rhai a ymladdodd yn erbyn militariaeth a gwleidyddiaeth grym.

"Ysgrifennais at Mr. Williams i ddweud fel yr edmygwn ef. Gwyddwn na ddymunai i'w gyfeillion dalu'r ddirwy, a pherchir ei ddymuniad."

LLANELLI EISOES YN

153a

OCTOBER 27, 1960

Y CYMRO

(THE WELSHMAN) *The National Welsh Newspaper*

HYDREF 27, 1960 PRIS 4c.

Tra pery gorfodaeth filwrol —

THALAI YR UN DDIMAI — CARCHAR NEU BEIDIO

medd WALDO

TRA pery gorfodaeth filwrol ym Mhrydain nid yw Waldo Williams yn bwriadu talu'r un ddimai o dreth incwm—hyd yn oed pebai hynny'n golygu mynd i garchar drachefn.

Ni fydd yn talu'r dreth incwm ychwaith os daw gorfodaeth filwrol yn ol rywbryd eto ar ol i'r olaf o'r bechgyn a orfodwyd i ymuno a'r Lluoedd, dan y drefn sydd ohoni'n awr, gael ei ryddhau yng Ngwanwyn 1962.

I Waldo Williams, totalitariaeth, grym gwladwriaethol ar ei eithaf yw gorfodaeth filwrol. Ac mae ei brotest yn erbyn hyn yn rhan o'i athroniaeth o hanes, sef fod dynoliaeth yn fwy ac yn hŷn na'r Wladwriaeth.

CAETHION

Cred Waldo fod pawb yn gaethion mewn gwlad lle mae gorfodaeth filwrol mewn grym—a theimla ef ei hun yn fwy rhydd wrth brotestio i'w erbyn. Gwrthododd dalu'r dreth incwm —a phery i wrthod—am na fedrai ddim peidio, meddai wrthyf pan euthum i'w weld yng nghartref ei chwaer yn Heol Plasy-

efais ddim yno. Pebawn wedi digwydd yw erchyllterau'r bom.

153b

rai ddim peidio, meddai wrthyf pan euthum i'w weld yng nghar-tref ei chwaer yn Heol Plasygamil, Gwdig, ger Abergwaun, nos Wener.

Sgwrs gymharol fer a gefais ag ef. Nid am na fynnai Waldo siarad ond am nad allwn yn gydwybodol dawel ei gadw oddi wrth ei waith yn hwy. 'Roedd ar ganol beirniadu'r cynhyrchion barddonol ar gyfer Gwyl Cerdd Dant Cymru yn Llandysul drannoeth. Ac nid teg cadw bardd, hyd yn oed, ar ei draed drwy'r nos.

BODDHAD

O lawer cyfeiriad daeth cefnogaeth (mewn geiriau, o leiaf) i safiad Waldo yn mynd i garchar dros wrthwynebu gorfodaeth filwrol. Ond iddo ef ei hun nid oedd mynd i garchar nac yma nac acw, mae'n amlwg. Yn ei ffordd hanner-ddireidus dyma fel y disgrifiodd y profiad:

"Yr oeddwn wrth fy modd yn mynd yno, yr oeddwn wrth fy modd yno, ac yr oeddwn wrth fy modd yn dod adref oddi yno."

Am chwech wythnos bu'n cynorthwyo carcharor arall i baentio'r llythrennau G.P.O. a llun y Goron ar fagiau'r llythyrdy. Cawsai 2s 2c yr wythnos am wneud. Codai am saith y bore: diffoddai'r goleuadau yn ei gell am hanner awr wedi naw y nos.

Ar wahan i weithio yn y gweithdy cerddai am ddwy spel o hanner awr—un yn y bore a'r llall yn y prynhawn.

DIGONEDD

Cawsai ddigon o fwyd; cawsai dri llyfr yr wythnos i'w darllen—ac yr oedd yno rai llyfrau wrth ei fodd hefyd. Llyfrau Saesneg a ddarllenodd gan ei fod eisoes wedi darllen pob llyfr Cymraeg o'r bron a oedd yn llyfrgell carchar Abertawe.

Ni ysgrifennodd farddoniaeth o gwbl ond ni roesai Waldo unrhyw fai ar yr amgylchedd am hynny. Ambell waith y bydd yn barddoni, chwedl yntau.

"Nid yw mynd i garchar yn ddim byd ym Mhrydain heddiw" meddai Waldo. "Ni ddioddefais ddim yno. Pebawn wedi dioddef efallai y teimlwn imi wneud rhywbeth.

Fel yr oedd pethau, trafodai ag ef ei hun weithiau tybed a wnaethai'r peth iawn ai peidio. Ai bod yng ngharchar ynteu allan yn ceisio cenhadu a fyddai orau. Cenhadu yn ddiamau fyddai'r gwaith caletaf, meddai ef.

Y BOM

Nid ail-wynebu tymor mewn carchar—pe deuai i hynny—sy'n poeni Waldo. Ei broblem fawr ef, megis pawb a rydd ystyriaeth i'r mater, yw'r bom.

Mae Waldo yn erbyn ei chadw. Hoffai pebai ganddo ryw weledigaeth sut i brotestio'n effeithiol yn ei herbyn. Ond nid yw mor siwr y buasai protest fel a wnaeth yn erbyn gorfodaeth filwrol yn ateb y diben.

Yn ol ei dystiolaeth ei hun ni chafodd, hyd yma, y profiad ysgubol hwnnw a ddaeth i'w ran ynglyn a gorfodaeth filwrol wrth ystyried y bom. Yr oedd yn beth anodd i'w resymu—ond dyna'r ffaith.

Hwyrach fod hynny, meddai, am mai rhywbeth sy'n mynd i ddigwydd yw erchyllterau'r bom. Gyda gorfodaeth filwrol, ar y llaw arall, 'roedd yr effeithiau i'w gweld yn ddigon eglur o flaen y llygad.

COREA

Y rhyfel yn Corea a ddaeth a'i brotest ef i bwynt. Ar y teledu gwelai ddarluniau o'r erchyllterau yno; yn y papurau disgrifid fel yr oedd pobl yn cael eu llosgi nes bod eu crwyn yn ddu, pobl yn methu a symud, pobl yn barod i farw.

"A ninnau" meddai Waldo "yn gosod ar ein bechgyn ifanc i wneud y gwaith hwn." Gwnai hynny'r profiad yn ffeithiol a phersonol iawn.

Teimlai Waldo fod protest gynyddol yn codi yn y wlad yn awr yn erbyn y bom, a'r gwaith mawr oedd cenhadu dros wneud i ffwrdd a hi. Credai y dylid pwysleisio ar hynny ar hyn o bryd cyn gwneud unrhyw safiad pellach.

Ond ni olygai hynny nad oedd yn bosibl y newidiai ei farn, ac y byddai yn y man yn gwneud protest debyg i'r un a wnaeth yn erbyn gorfodaeth filwrol yn erbyn y bom hefyd.

BYD ADDYSG

HEDDIW dechreuwn gyfres wythnosol newydd ar Fyd Addysg. Mae'r awdur yn arbenigwr yn ei faes ac mewn safle i'ch helpu chwi a'ch plant gyda'ch problemau addysgol os teimlwch fel anfon gair ato trwy swyddfa'r Cymro. Fe ddelia a'ch problemau yn ei erthygl gan gadw'ch enwau'n gyfrinach.

Bydd hefyd yn delio ag addysg yn gyffredinol—gyda'i broblemau cyfnewidiol a'i ddatblygiadau—a hynny mewn dull diddorol, rhugl a chartrefol a rydd bleser i bawb ond a ddaw a budd arbennig i athro neu riaint neu blant deallus.

Bu diddordeb "Y Cymro" yn ddwfn mewn addysg erioed, ac yn awr bydd CYMRAWD yn gwneud Y CYMRO yn hanfodol i chwi.

Cyfres bwysig arall sy'n tynnu sylw mawr yw'r un ar Wledydd yn y Newyddion. Mae llu o ysgolion ac unigolion yn torri a chadw'r ysgrifau, am eu bod

Gwahodd gwy

153a/b. *Y Cymro,* Hydref 27, 1960. Waldo wedi ei ryddhad o'r carchar. Bu yno am chwe wythnos.

154. *Western Telegraph*: adroddiad am ei ryddhad o'r carchar.

155

The Adoption meeting of Mr. Wynne Samuel as Plaid Cymru's Parliamentary candidate drew 500 people to the De Valence Pavilion, Tenby on Saturday evening. Pictured here are Mr. Wynne Samuel, Mr. Gwynfor Evans, M.P. for Carmarthen and members of the executive committee of Plaid in Pembrokeshire: Coun. Glyn Powell; Dr. William Thomas, Mr. Glyn Rees, Mr. Jack Sheppard, Mr. Dyfrig Thomas, Mr. Waldo Williams, Miss Hafwen John, Mr. James Nicholas, Mr. T. Michael. (Telegraph

155. Cyfarfod mabwysiadu Wynne Samuel yn ymgeisydd y Blaid yn Sir Benfro. Daeth dros 500 i'r cyfarfod ym mhafiliwn De Valence, Dinbych-y-Pysgod. Yn y llun gwelir Wynne Samuel, Gwynfor Evans A.S. ynghyd ag aelodau Pwyllgor Gwaith y Blaid, Sir Benfro: y Cynghorydd Glyn Powell, Dr William Thomas, Glyn Rees, Jack Sheppard, Dyfrig Thomas, Waldo Williams, Hafwen John, D.J. Williams, T. Michael, James Nicholas.

154

"It wasn't too bad in jail," . . . says tax-rebel Waldo

(By TELEGRAPH Reporter)

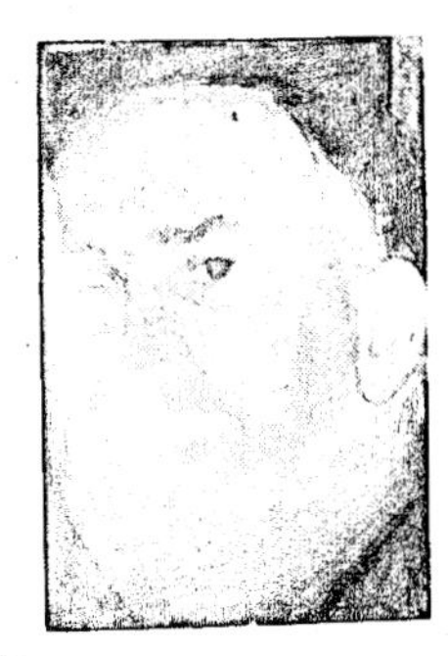

WALDO WILLIAMS jumped off a 'bus at Haverfordwest and turned up the collar of his faded blue mac. It was raining hard, but he was hatless. The inevitable, battered little brown case was in his left hand. He set off, head bent, a half-smile on his face . . . deep in thought. The rain didn't bother him and he seemed a little surprised when I offered him a lift.

Waldo Williams sank back in the front seat of the car and said, "I'm on my way to the Merlin's Bridge to collect my laundry."

He had left it there just over six weeks ago . . . a few days before he went to prison.

What do you say to a man who has just been released from jail?

Not a criminal . . . but an intellectual who had almost volunteered to "do time."

There was an awkward silence as the wipers angrily slashed the rain from the windscreen.

"What was it like in there?" I asked, placing the emphasis on the last two words.

Waldo smiled. It was most likely the hundredth time he had been asked that. He said, "It wasn't too bad, you know. The food was all right . . . especially the bread . . . and my bed was nice and hard. You know, if they want to punish me they should give me a soft bed. I would be awake half the night!"

Waldo Williams was sent to prison by Haverfordwest magistrates for refusing to pay £15 income tax arrears.

Why?

"Don't just say because I am against conscription," he implored. "Put it this way.

"It was a symbolic protest against conscription, using the chief visible symbol of my citizenship to protest against what I considered to be an inherent evil in our citizenship as we know it to-day.

"It was inspired first by my sympathy with the people of Korea who were suffering Napalm bombing from both sides and in so far as young Conscripts were called up to do this inhuman work for us.

"Oh, I know that my £15 was just a drop in the ocean. But I felt better, cleaner inside, knowing I was at least doing something about it."

Waldo Williams, idealist, poet, lecturer, former Parliamentary candidate, pacifist, served his six weeks in a prison filled with housebreakers, thieves, embezzlers, violent men and debtors.

He worked as a stenciller's mate in the prison mailbag shop.

What now?

"Well, I suppose it's up to the other people. I don't think I will pay income tax until the last Conscript is released from the Armed Forces."

He will go back to his job lecturing night classes in Welsh literature and local history.

This is the job he took because he is paid for each session and no tax is deducted.

It means that each half-year he gets a bill from the Income Tax authorities. There is no bitterness in his heart, although they made him a bankrupt and although they sold his furniture . . . although he went to prison.

"They were always very kind to me, you know. They called several times begging me to pay."

And the many people who offered to pay the debt . . . "I appreciated it, but they will understand why I couldn't accept."

Waldo Williams walked off into the rain.

What sort of man is he? Some may argue he was a fool to go to prison for £15, that his cause is a lost one, that it is not in the best interests of the country; others may admire his pluck, his honesty, his lone stand against the weight of the Government.

But whatever else there is about Waldo Williams, you can't help but like him.

156a

Plas Ystrad
Caerfyrddin
12:12:56

Annwyl Waldo,

Llongyfarchiadau lawer, lawer, lawer. Ni ddarllenais erioed lyfr fel hwn. Nid oes un llyfr a afaelodd ynof galon a meddwl fel hwn. Darllenaf gerdd a chaf fy nhowlio drosodd — un drachefn, ac yr wyf i lawr eto. Y mae'n llyfr sy'n cyffwrdd â dyn yn rhyfeddol iawn. Ac ni allaf ond meddwl y bydd yr Nadolig llawen i lawer drwy Gymru y gaeaf hwn. Diolch i'r ffawd a'r procwyr ac i ti am ffest mor odidog. Byd maethol, melys, cyfoethog a byw am byth: cyfraniad i'r byd: gweledigaeth,

156b

crefft, meddwl a theimlad personoliaeth fawr. Nodyn ar frys yw hwn. Rhaid mynd yn ôl at y llyfr.

Gyda diolch calon diffuant,
Bobi

156a/b. Nodyn a dderbyniodd Waldo gan Bobi Jones, ei gyfaill mynwesol, yn dilyn cyhoeddi *Dail Pren*.

157

157. Parodd gweld cyhoeddi *Y Gân Gyntaf* gan Bobi Jones ym 1957 orfoledd i'w galon. Fe'i cofiwn yn canmol y gyfrol i'r entrychion yn Nhyddewi. Cafodd y gyfrol sylw llachar ganddo yn y cylchgrawn *Lleufer*, a dywed y darn canlynol gymaint am Waldo ag am Y *Gân Gyntaf*.

'Dyma farddoniaeth i orfoleddu amdani, fel y mae hithau'n gorfoleddu am fywyd. Adnewyddu bywyd y mae, trwy rinweddau plentyndod, gwreiddioldeb a diffuantrwydd, yn doreth o ddelweddau, yn tarddu o'r teimlad, yn ymsaethu i olau'r dychymyg, yn syrthio i'w lle ar wyneb y deall. Rhaid mai rhyw weithgaredd fel hyn oedd ein hamgyffred cyntaf o'r byd. Rhaid mai dyna paham y mae'r farddoniaeth hon mor gyffrous ac mor agos atoch wedi i chi ei hadnabod. Bron na theimla'r darllenydd ei fod ef ei hun â rhan ynddi …

Ac wedi i mi gwpla'r *Gân Gyntaf*, yr oeddwn fel pe buaswn yn chwarae gyda phlentyn rhyfedd, plentyn o ran ei fywiogrwydd a'i ddifrifwch, a'm gwnaethai innau'r run fath ag ef imi gael rhedeg, neidio, nofio a llusgo i mewn i'r ogof ac allan, a dringo'r graig a sefyll ar y godir, a'r gwaed yn taro'n gynt a'r llygaid yn gliriach, a'r tywod obry'n fwy tywodliw a'r tonnau'n edrych yn wlypach, a bodolaeth y tywod a'r tonnau, a phob bodolaeth, yn fwy o ryfeddod ac yn ddyfnach ei hawgrym.

Parhad o'r lleufer oedd gennym yn rhoi'r byd at ei gilydd yw barddoniaeth. Darganfuom y pryd hynny fod i bob peth ei ogoniant, ei rin, ys dywaid T. J. Morgan; a rhiniau'n ymuno sy'n gwneud trosiad. Teimlem ryw undod, afresymol, rhwng y peth a'r enw. Parhad o'r undod hwn, a'i estyniad ar hyd y frawddeg, yw'r afael sydd gan y gynghanedd, cynghanedd addas yn priodi'r ystyr ac yn dwyn y melyster o'r glust i'r galon.'

'Canu Bobi Jones', Lleufer, cyf. XIII, Gaeaf 1957, rhif 4

158

DAIL PREN

CERDDI

gan

WALDO WILLIAMS

Waldo Williams

ym ~~Mhenryheol~~ Bangor

'Waldo – y cyntaf i ymweld â ni yn ein tŷ newydd ym Mangor Gorffennaf 18fed 1968'

R. S. Rogers

GWASG ABERYSTWYTH

158. Wynebddalen y copi o *Dail Pren* sydd yn eiddo i Dewi Jones, Benllech. Gwelir nodyn diddorol arno gan gyfaill i Waldo – a gŵr adnabyddus iawn ym Mangor, R. S. Rogers, a ymddeolodd ym Mangor ar ôl bod yn athro ysgol yn Llanfair-ym-Muallt. 'Waldo – y cyntaf i ymweld â ni yn ein tŷ newydd ym Mangor, Gorffennaf 18, 1968 – R. S. Rogers.'

159

THEATR DEWI SANT
TYDDEWI

Y CILION

(JEAN-PAUL SARTRE)
Cyf. WALDO WILLIAMS

RHAGFYR 4, 5, 6,
am 7.30

MCMLXIII

159. Ym 1963 cyfieithodd Waldo'r ddrama Les Mouches, *Y Cilion*, Jean-Paul Sartre, i'r Gymraeg. Drama yw hon am ryddid yr unigolyn a'i ddylestswydd tuag at gymdeithas – thema y myfyriodd Waldo yn helaeth arni drwy gydol ei oes. Perfformiwyd y ddrama yn Ysgol Dewi Sant, Tyddewi, gan gwmni Theatr Dewi Sant - cwmnïau a sefydlwyd gan Islwyn Thomas ac ef a fu'n gyfrifol am gynhyrchu nifer o ddramâu yr hir gofir amdanynt yn Nhŷ Ddewi.

160. Yr oedd Weun Parc y Blawd a Parc y Blawd yn rhan o fyfyrdod oesol Waldo. Dyma bedair llinell o'i lawysgrif.

160

Weun Parc y Bláwd a Parc y Blawd
Naw eto haelwawd haf
Addo fy llaw i'r cleddyf llym
Ni wneuthum ac ni wnaf.

161. Ar Fawrth 19, 1960, dathlodd Mr a Mrs Tomi James, Ysgeifiog, eu priodas aur, a chyfarchodd Waldo hwy ar yr achlysur. Yr oedd Tomi James yn glocsiwr wrth ei alwedigaeth ac yn ŵr tra diwylliedig. Yr oedd ef a'i briod, Mrs Anni James, yn aelodau ffyddlon yng Nghapel y Methodistiaid, Caerfarchell. Treuliasant eu hoes yn Ysgeifiog gan fod yn ffyddlon i werthoedd uchaf eu Ffydd a Chymreictod.

161

Hoffwn fawl, a phwy na fyn
Glywed heddiw glod deuddyn?
Harddu'r bau, hyrwyddo'r byd
Y bu awen eu bywyd.
Erys honno mor swynol
Ag oedd flynyddoedd yn ôl.
Anni a Tomi ŷnt hwy,
Dau a fedr hud y fodrwy-
Rhoes gyfoeth ar Ysgeifiog
Llunio'r gerdd mor llon â'r gog,
Llenwi'r tŷ, llawenhau'r tad,
A'i deulu'n dod i'w alwad,
Hwythau'r plant a thŵr o'u plaid,
Cartre swyn, caer tros enaid,
Caer awen y rhieni
A'r Gymraeg yw ei mur hi,
Cyrch heulwen, caer uchelwr
A chrefydd bob dydd yn dŵr,
Gŵr a wnaeth - pwy geir yn well?
Gryf orchwyl i Gaerfarchell.

162

162. Yr oedd gweithdy'r clocsiwr yn Ysgeifiog yn gyrchfan llaweroedd. Yno yr oedd trafod a dadlau brwd ar bynciau'r dydd – crefydd, gwleidyddiaeth, a'r holl faterion sydd yn ymwneud â thynged dynion a chymdeithas. Yn ogystal â bod yn bencampwr crefft, byddai Tomi'n llywio a chyfeirio'r drafodaeth yn ddeheuig.

Craff driniwr crefftwr henoes
Yw hwn, y ffasiwn a ffoes.
'Gaf i nawr heb gau fy nhôn
Sisial er mwyn y Saeson?

Fifty years' love above the bog, – they made
The most of Pebidiog;
How did they thrive in 'Sgeifiog?
'Mid the clay he made the clog.

163

163. Eisteddfod Genedlaethol Llanelli, 1962. Tri beirniad cystadleuaeth y Goron: Euros Bowen, David James (Blaen-Plwyf) a Waldo. Yr oedd y tri beirniad yn unfryd yn y dyfarniad, a choronwyd y Parchedig D. Emlyn Lewis, Llanddarog, am bryddest ar y testun 'Y Cwmwl'.

164a/b. Rhaglen Cynhadledd Adran Efrydiau Allanol Aberystwyth, 1962, a gynhaliwyd yng Ngholeg St. Antony, Rhydychen.
Byddai Waldo'n darlithio'n rheolaidd yng nghynadleddau Tiwtoriaid Adran Efrydiau Allanol Aberystwyth yn y Pumdegau a'r Chwedegau. Sylwer ar y nodyn ar waelod yr amserlen!

165 a/b. Llythyr gan Tagha O'Murchú at Waldo.
Ymwelodd Waldo'n gyson ag Iwerddon a dysgodd y Wyddeleg yn ddigon da i fedru darllen ei llenyddiaeth.

164 a

UNIVERSITY COLLEGE OF WALES
ABERYSTWYTH

DEPARTMENT OF EXTRA-MURAL STUDIES

ELEVENTH ANNUAL CONFERENCE OF TUTORS

ST. ANTONY'S COLLEGE
OXFORD

MONDAY - SATURDAY
23rd - 28th JULY, 1962

Subject:
"D U A L I T Y"

164 b

TIME TABLE

Time	MONDAY	TUESDAY	WEDNESDAY	THURSDAY	FRIDAY	SATURDAY
9.15 a.m. to 10.45 a.m.		DUALITY Alwyn D. Rees	STEREOTYPY AND SPONTANEITY D. J. Griffith	PRIEST AND PROPHET D. J. Griffith	FORM AND FEELING Brynmor Thomas	Departure
11.15 a.m. to 12.45 p.m.		YR YMWYBOD A'R ANYMWYBOD Dr. E. J. Eurfyl Jones	Y BYD HWN A'R BYD ARALL MEWN CHWEDLONIAETH Alwyn D. Rees	CLASURIAETH A RHAMANTIAETH YN LLENYDDIAETH CYMRU Waldo Williams	AGWEDDAU AR RAMANTIAETH D. Tecwyn Lloyd	
After-noon		FREE	FREE	FREE	FREE	
5.00 p.m. to 6.45 p.m.	CONFERENCE ASSEMBLES	FREE	FREE	FREE	FREE	
8.00 p.m. to 9.30 p.m.	THE RATIONAL AND THE ROMANTIC VIEW OF MAN Professor Leopold Kohr	FORM AND GROWTH ECONOMICS Professor Leopold Kohr	NECESSITY AND ASPIRATION Brynmor Thomas	CLASSICISM AND ROMANTICISM IN ARCHITECTURE R.T.Rundle Clark	DUALITY AND UNITY Alwyn D. Rees and others	

NOTE: At 11.15 each morning there will be discussions in English for those who do not understand Welsh.

166

166. Y Parchedig a Mrs D. J. Michael. Bu'r Parchedig D. J. Michael yn weinidog ar deulu Waldo ym Mlaenconin. Ar achlysur cydnabod gweinidogaeth y Parch. D. J. Michael ar derfyn 53 o flynyddoedd ym Mlaenconin, Waldo a dalodd y deyrnged 'ar ran plant yr ardal ar wasgar'.

165 a

Carraig na bhFear 19

Carraig na bhFear
Co. Chorcaí
9/4/62

Annwyl Gyfaill,
Gwell hwyr na hwyrach!
'Roeddwn yn eich disgwyl yn ôl yma cyn i chwi adael Iwerddon y llynedd; fe anghofiwyd eich llyfr yma. Nid oedd eich cyfeiriad gennyf ac am hynny y gohiriais ei anfon atoch.' Rwyf wedi cael y cyfeiriad gan y Tad Ó Fiannachta yn awr, a dyma i chwi eich llyfr o'r diwedd.
Gobeithio eich bod yn iawn — a

165 b

bod yr achos Cymraeg yn cryfhau!
Brisiwch yn ôl eto a phob croeso!
Pob dymuniad dda,
Tadhg Ó Murchú

167

167. Waldo gyda'i chwiorydd, Mary a Dilys, a Margret, ffrind y teulu, yn dringo Carn Menyn.

168

169. Canwyd 'Y Dderwen Gam' pan fwriedid cau ar ran uchaf Aberdaugleddau.

> Yma bydd llyn, yma bydd llonydd,
> Oddi yma draw bydd wyneb drych;
> Derfydd ymryson eu direidi
> Taw eu tafodau dan y cwch.
>
> Derfydd y llaid, cynefin chwibanwyr
> Yn taro'r gerdd pan anturio'r gwawl,
> A'u galw gloywlyfn a'u horohïan
> A'u llanw yn codi bad yr haul.
>
> Yn codi'r haul ac yn tynnu'r eigion
> Trwy'r calonnau gwyrdd dros y ddwylan lom,
> Yma bydd llyn, yma bydd llonydd
> A'r gwynt ym mrig y dderwen gam.

168. Capel Methodistiaid Calfinaidd Croes Millin, a godwyd ym 1866 ac a saif nid nepell o Gastell Pictwn, ychydig islaw pentre Rhos. I'r capel hwn y byddai Waldo'n dod i gysgu gan godi rhwng nos a dydd – yr amser hwnnw pan ddychwel creaduriaid crwydrol y nos i'w tyllau a chyn i'r adar ddechrau canu. Byddai'n mynd at lannau Afon Cleddau ac yno y gwelodd 'Y Dderwen Gam'. Ar yr achlysuron prin hyn yr oedd y bardd ar drywydd byd arall a thybiai mai dyma'r adeg orau rhwng dydd a nos i rwygo'r llen rhwng deufyd.

169

170

170. Y Dderwen Gam

Dyma a ddywed yr Athro Gwyn Thomas am 'Y Dderwen Gam' yn y Rhagymadrodd i *Cerddi '69*:

'Wrth ddarllen y gerdd ... y mae dyn fel petai'n dod yn ymwybodol o fyd arall heblaw'r byd yr ydym yn byw ynddo. Tra bod y bardd yn sôn am foddi lle a cholli adar ('y chwibanwyr') a gadael ar ôl dderwen gam y mae o'n creu ymwybod o ystyr arall. A phan ddown ni at y llinell olaf:

'A'r gwynt ym mrig y dderwen gam'

fe deimlwn nad am wynt a derwen yn unig y sonnir. Erbyn hyn y mae'r bardd yn sôn hefyd am fywyd yn darfod. Nid trwy drosiad plaen na chyffelybiaeth amlwg y gwna hyn. Creu awyrgylch y mae a gadael inni deimlo'r ffordd at yr ail fyd trwy ei eiriau. Efallai'n wir nad ydi rhywun yn hollol sicr o'r hyn sydd y tu ôl i'r geiriau. 'Wn i ddim a ydi hynny o bwys mawr: y peth pwysig ydi bod dyn yn teimlo fel Pwyll Pendefig Dyfed yn y *Mabinogion* gynt wrth iddo weld Rhiannon yn symud yn araf a meirch cyflymaf ei deyrnas yn methu ei dal, a'i fod yn dweud gyda Phwyll, 'Y mae yno ryw ystyr hud'.'

171

172

49 High St
Abergwaun,
31/1/67.

Annwyl Waldo:

Mae arna i £1 i chi a fenthyciais yn y Cartref y dydd o'r blaen. heblaw i 10/- yma yr oeddech chi wedi'i adael ar ôl ar y plat heb i fi sylwi cyn i chi fynd, – oherwydd y fi oedd y gwestywr i fod fel y dywedais. Amgaeaf y rhybudd yma, a dyma ni'n chwarae "i ar ôl te", yn ôl geiriau Syr Thomas.

Gwelaf chi cyn hir, efallai DJ

173

174

171. Waldo.

172. Wald oedd Waldo i D.J. Dyma enghraifft o gynhesrwydd a chywirdeb D.J. at ei gyfaill.

173. Waldo gyda'i ddisgyblion – Ysgol Gynradd Gatholig, Abergwaun.

174. Wrth agor Ysgol Blaenconin, gan fynegi ei deimladau dyfnaf wrth iddo ddychwelyd i'w hen fro i ailagor ysgol lle bu ei dad unwaith yn Brifathro arni ac yntau'n ddisgybl ynddi, dyfynnodd ail bennill y 'Canadian Boat Song':

> From the lone shieling of the misty island
>   Mountains divide us, and the waste of seas –
> Yet still the blood is strong, the heart is Highland
>   And we in dreams behold the Hebrides.

Dyma'r unig adeg i mi weld Waldo'n torri i lawr i wylo a methu mynd ymlaen â'i anerchiad.

175

175. Cilmeri, ddydd Sadwrn, Mehefin 28, 1969. Cynhaliwyd rali fawr yng Nghilmeri dridiau cyn yr Arwisgiad yng Nghaernarfon, i gofio cwymp Llywelyn, Tywysog olaf Cymru. Waldo a osododd y dorch flodau wrth y Maen Coffa. Saif D. J. Williams wrth ochr Waldo a Dafydd Iwan i'r dde o'r Maen.

176

176. Yr oedd gan Waldo farn bendant iawn ar 'ddehongli' barddoniaeth a gobeithiai ei fod ef ei hun wedi rhoi digon o arweiniad i'r darllenydd wrth iddo geisio deall cerdd.

'I fod yn onest teimlaf o hyd nad yw'r gân yn dywyll ond nid yw'n deg i fardd na neb fod yn farnwr yn ei ochr ei hunan. Mae damcaniaeth ar gael heddiw fod sawl dehongliad o gân yn bosibl a bod rhai na feddyliodd yr awdur amdanynt gystal os nad gwell, weithiau, na'r un oedd ganddo. Ni chawn i flas o gwbl ar ganu'n yr ysbryd hwn ... Ond fel yna y daethant i mi. Ceisiais wneud un peth, rhoi digon o switches yma a thraw ar y parwydydd gan gredu y deuai'r ystafell i gyd yn olau ond i'r ymbalfalwr gyffwrdd ag un ohonynt.'

177. Darn o 'Gweriniaeth a Rhyfel' yn llawysgrif Waldo (copïwyd y darnau hyn o'r gerdd o lawysgrif tad Waldo).

Yr ysgrif olaf i Waldo ei sgrifennu oedd 'Barddoniaeth T. E. Nicholas'. Ymddangosodd yn *Y Cardi*, rhif 6, Gŵyl Ddewi 1970 – rhifyn teyrnged T. E. Nicholas. Ynddi dywed:

'Blwyddyn ryfedd ac ofnadwy oedd y flwyddyn mil naw cant, un deg a chwech. Yr oedd llywodraethau Ewrob wedi ystyfnigo yn eu gorffwylledd. Roedd eu deiliaid, gydag eithriadau prin, yn ymateb yn llwyr i'w hysgogiadau, dan haenau trwchus o'r un hunangyfiawnder a hunan-dwyll a rhagrith. Roedd y llenni i lawr ar ryddid. Roedd gwareiddiad yn suddo i'r llaid. I laid y Somme ...

A dyma'r flwyddyn yr ysgrifennodd T. E. Nicholas y gerdd fawr 'Gweriniaeth a Rhyfel'. Rwy'n cofio fy nhad yn ei darllen i'm mam allan o'r *Geninen*. Ac fe'm gwefreiddiwyd ganddi yn y blynyddoedd ieuanc pan oedd teimladau'n rhedeg yn rhwydd. Ond fe'i darllenais hi eto, echnos, ymhen mwy na hanner canrif, ac fe'm gwefreiddiwyd eto, lawn cymaint.'

177

178

Esmwyth, er fy llwyth, a llon
A'r daith yn euraid weithion,
A difraw er y rhiwiau
Naws maith hedd yn esmwythau
Y ffyrdd drwy wyrdd Iwerddon
A rhin Mehefin am hon.
Afon Suir a fu'n siarad
Sisial hedd oesoesol wlad
Ac yn un â'r ffridd ddeilian
Arogl gwair fel dirgel gân

178. Darn o gywydd 'Y Daith' yn llawysgrif Waldo.
Lluniwyd y cywydd hwn ym 1955. Nis cyhoeddwyd tan 1971 pan gafwyd ei ganiatâd i'w gynnwys yn *Cerddi '71*. Dyma'r darn olaf iddo roi ei ganiatâd i'w gyhoeddi.

179. Ysgol y Fair Ddihalog, Hwlffordd. Dyma lle'r oedd y Chwaer Bosco'n Brifathrawes adeg gwaeledd Waldo yn Ysbyty Sant Thomas, a bu hithau ynghyd â'r chwiorydd a ddysgai yn yr ysgol yn ymweld yn gyson ag ef.

180. Ysbyty Sant Thomas, Hwlffordd. Dyma lle treuliodd Waldo fisoedd olaf ei fywyd. Wrth ymweld ag ef ychydig ddyddiau cyn ei farwolaeth yr oedd wrth fwrdd ei wely goeden fechan mewn potyn (a roddwyd iddo gan ei chwaer Dilys) a nyth aderyn (a gludwyd yno gan y chwiorydd o Ysgol y Fair Ddihalog – yn unol â dymuniad y bardd). Bu farw ar Ddydd Iau Dyrchafael, 1971. Fe'n hysbyswyd dros y ffôn gan y Chwaer Bosco a ddywedodd yn syml "Fod enaid Waldo wedi esgyn i'r nefoedd".

179

180

181

Waldo Williams

1904 — 1971

Y gwasanaeth yng ngofal y

Parchedig Byron Evans gweinidog Blaenconin

Mai 24 1971

181. Yng Nghapel y Bedyddwyr, Blaenconin, y cynhaliwyd gwasanaeth angladd Waldo, o dan arweiniad y Parchedig Byron Evans a oedd yn weinidog ar yr eglwys.

182 Beddrod y teulu ym mynwent Blaenconin.

182

183

183. Aelodau o ddosbarth barddoniaeth Adran Efrydiau Allanol Coleg y Gogledd, Bangor, yn clirio'r chwyn o gwmpas bedd Waldo. (Diau y byddai gan Waldo englyn digri i'r achlysur!) Hydref 1994.

184. Y Garreg Goffa ar dir comin caregog Rhos Fach ym mhlwyf Mynachlog-ddu gyda Moel Cwm Cerwyn, Tal Mynydd a Charn Gyfrwy yn y cefndir.

184

185

186

"Mur fy mebyd, Foel Drygarn, Carn Gyfrwy, Tal Mynydd,
Wrth fy nghefn ym mhob annibyniaeth barn."

DADORCHUDDIO COFEB

DYDD SADWRN, 20 MAI, 1978
ym MYNACHLOGDDU
i gofio am

WALDO WILLIAMS
1904 ··· 1971

185. Gosod y garreg yn ei lle yn y llun ar y dde y mae'r cynllunydd Hedd Bleddyn, Emrys Evans, Crymych, a gynorthwyodd wrth ddewis y garreg a Desmond Davies ei fab-yng-nghyfraith.

186. Dadorchuddiwyd Cofeb Waldo ar dir comin Rhos Fach ym mhlwyf Mynachlog-ddu, ddydd Sadwrn, Mai 20, 1978.

'Gobeithio bod y dadorchuddio hwn o gofeb i Waldo Williams yn symbyliad i ni sydd yma heddiw i weithredu ar fyrder dros yr egwyddorion y safai Waldo drostynt. Mae enwau eraill o'r plwyf yn dilyn yr un traddodiad – y diweddar Barchedig Parry Roberts a Twm Carnabwth. Pobl oeddynt a wynebodd her eu dyfodol ac a safodd yn y bwlch dros bethau gorau'n cenedl ni.'

Y Parchedig Olaf Davies, Cadeirydd Cyfarfod Dadorchuddio'r Gofeb, a oedd ar y pryd yn Weinidog Eglwys y Bedyddwyr, Bethel, Mynachlog-ddu

187

188

190

189

187. Eluned Richards, Aberystwyth, yn dadorchuddio'r gofeb.

188. Hedd Bleddyn, Llanbryn-mair, gwneuthurwr a chynllunydd y Gofeb, ac Eluned Richards, Aberystwyth, a ddadorchuddiodd y Gofeb.

189. Ben G. Owens yn traddodi anerchiad adeg dadorchuddio'r Gofeb i Waldo.

190. Côr Ysgol Y Preseli o dan arweiniad Mrs Rhiannon Davies yn canu ar achlysur y dadorchuddio.

191. James Nicholas yn darllen Cywydd Coffa adeg y dadorchuddio.

Rhown gofeb ym mro'i febyd, –
Hwn yw bardd y gwyn eu byd;
A chofiwn, ddydd Dyrchafael,
Un oedd â'i ffydd yn ddi-ffael.

Y tyst ymhlith y tystion,
A thyst o'r gymdogaeth hon;
Y diwylliant a'i allu
Oedd ddarn o Fynachlog-ddu.

Mynydd dirgel Preselau, –
Y garw fur fu'n ei gryfhau;
Ac o'r maen ger y mynydd
Anwylaf fan, huawdl fydd.

'Ddaw'r baich oddi ar y bychain
Neu angau trist dynged rhain?
Mae awr pan fyddant fawrion
Yw'r eco o hyd o'r graig hon.

Gwelodd ddirgelwch golau
Drwy ein byd er ein bywhau,
Môr goleuni miragl anian;
Y golau mwyn drwy'r glaw mân.

Bu ei ran i gadw'r bryniau
Rhag llu gwŷr y gallu gau:
Cadw trum rhag y cad-dramwy:
Testun mawl yw'r tystion mwy.

Ni ledodd hwyrnos drosom,
A glân ydyw'r garreg lom;
Gwelai nerth y gelyn hy
A rhaid ydoedd gweithredu.

I enw'r gŵr ar y garreg
Heddiw'n dorf, O! byddwn deg
O'i chodi hi, a chadw iaith
Yn fyw rhag unrhyw anrhaith.

O'r pellter hyd Gwmcerwyn
Mynnu hawl i'r mannau hyn;
Bloeddiwn o ben y Frenni
Y wlad hon sydd o'i phlaid hi!

Bardd oedd ef a burodd iaith,
Fardd hoffus y fro ddiffaith:
Daioni oedd, a wad neb
I Waldo anfarwoldeb?

James Nicholas

191

Wyt Ti'n Cofio

Wyt ti'n cofio yr ymgeisydd
Yn padlo o le i le
A dim ond yr ychydig gannoedd
Yn barod i'w arddel e?

Wyt ti'n cofio sbarc ei stori
A'r chwerthin yn ei lais,
A'r wên yn nwfn ei lygaid
Wrth herio nerthoedd trais?

Wyt ti'n cofio'r pwmp a'r cortyn
A roddodd i'r incwm tacs
A'i hanes yng ngardd y carchar
Yn palu Lloegr yn yfflon rhacs?

Wyt ti'n cofio'r geiriau dethol
A thaerineb twym ei wŷs,
Ar i ni gofio'r anghofiedig
Hawlio'r preswyl heb holi'r pris.
Wyt ti'n cofio'r cawr o Gymro?
Daw fe ddaw yn awr yn ôl i mi.

Dafydd Iwan

192

192. Cwmni Drama'r Gromlech a Ieuenctid y Fro a berfformiodd y Rhaglen Deyrnged 'Daw Dydd y Bydd Mawr y Rhai Bychain' (Buddug Medi) yn Neuadd Ysgol y Preseli, Nos Sadwrn, Mai 20 – cynhyrchydd Granville John.

193

193. Cyfaill mynwesol Waldo, W. R. Evans, wrth Garreg Goffa Waldo ger Mynachlog-ddu. Nid yw Glynseithmaen, cartref W. R, ymhell o'r llecyn hwn.

O'r porfeydd o'r puraf fu
Wyt fugail eto i fagu
Mawr ddawn y Gymru a ddêl;
Wyt ŵr iach y tir uchel,
Wyt rym hen y tir mynydd,
Wyt hoen o ieuenctid y dydd,
Wyt ehedydd o'i guddiad,
Hëwr gloyw i awyr gwlad,
Wyt ddôr hafoty a ddwg
Dir y gwaelod i'r golwg.

'Cywydd Cyfarch W. R. Evans', Beirdd Penfro

194

Anrhydeddus Gymdeithas y Cymmrodorion
(Sefydlwyd 1751 — Siartr Frenhinol 1951)
Noddwr : Ei Mawrhydi y Frenhines

ADRAN GYMMRODOROL EISTEDDFOD ABERTEIFI A'R CYLCH

CAPEL BETHANIA, ABERTEIFI, DYDD IAU, 5 AWST 1976, am 4.45 o'r gloch

Anerchiad : WALDO WILLIAMS — PORTREAD PERSONOL

gan JAMES NICHOLAS, Ysw., B.Sc.

Cadeirydd : SIR BEN BOWEN THOMAS, M.A., LL.D.
(Llywydd y Gymdeithas)

(An Address in Welsh : "Waldo Williams — a Personal Portreal" to be delivered by James Nicholas, Esq., B.Sc.)

3.45 p.m. Tê (i aelodau'r Gymdeithas yn unig) ar wahoddiad caredig Syr Vincent a Lady Lloyd-Jones.

J. Haulfryn Williams, *Ysgrifennydd*
118 Newgate Street,
St. Paul's, Llundain, EC1

195a

CYMDEITHAS GREFYDDOL Y CYFEILLION
(CRYNWYR)

CYFARFOD I DDIOLCH AM Y GRAS YM MYWYD

WALDO WILLIAMS
CRYNWR A BARDD

Ni saif a llunio arfaeth orffenedig
O'n cystudd ni. Atom y rhed, a rhoi
Cymorth ei law yn ddirgel gan ddirgelwch
Na ellir ei ddatgloi.

CAPEL HERMON, ABERGWAUN
Am 2.30 p.m. Dydd Sul, Awst 4

Y MAE CROESO CYNNES I BAWB YMUNO GYDA NI YN Y CYFARFOD ADDOLI ARBENNIG A DREFNIR YN NULL DRADDODIADOL Y CRYNWYR

Os am fwy o fanylion cysylltwch â Phabell y Crynwyr ar y maes.

Trefnwyd gan y Pwyllgor Dros Waith Y Crynwyr yng Nghymru
"Morwylfa,"
Trefor, Caernarfon,
Gwynedd LL54 5LB

195b

WALDO—Y CRYNWR

Cyfarfod o Ddiolch am y Gras ym mywyd y Bardd

Annwyl Gyfeillion,

Cynhelir y cyfarfod hwn yn nhrefn arferol y Crynwyr, ond gyda'r bwriad hefyd o addoli Duw mewn ysbryd o ddiolchgarwch am fywyd y bardd a'r Crynwr, Waldo Williams.

Amcan a nod y cyfarfod yw ymgyrraedd at yr Ysbryd, a chydnabod presenoldeb y gras hwnnw ym mywyd Waldo. Nid ymdrechwyd i drefnu unrhyw beth ffurfiol, ond os derbynnir yr alwad gan unrhyw un, hyderwn yn fawr y ceir cyfraniadau a fydd yn gymorth i bwysleisio ein dealltwriaeth o athrylith y bardd, a'i gydnabyddiaeth ef o Frenhiniaeth y Dwyfol yn ei waith a'i fywyd.

Gofynnwn am gyfraniadau lleisiol sydd yn adlewyrchiad o bresenoldeb Duw yn ein mysg. Peidied neb â dweud dim onid oes ysgogiad a chyffro o'r distawrwydd ac o awyrgylch y cwrdd. Nid seiat swnllyd mohoni na chystadleuaeth am wrandawiad, ond addoliad lle y gallwn oll ymdeimlo â dyfnder ein cred a'n gobeithion. Gyda'r sylweddoliad mai "goleuni Crist a ddengys inni'r gwirionedd a'r gwirionedd a'n rhyddha."

Yma heddiw cydnabyddwn y rhyddid ysbrydol sy'n tyfu o'n penderfyniad i ymrwymo i ewyllys Duw, sy'n weithgar yn ein mysg—

"Ni saif a llunio arfaeth orffenedig
O'n cystudd ni. Atom y rhed, a rhoi
Cymorth ei law yn ddirgel gan ddirgelwch
Na ellir ei ddatgloi."

Dyma oedd tystiolaeth Waldo, ac yn y dirgel hwnnw heddiw'r prynhawn, cawn ninnau chwilota yn nyfroedd y "môr goleuni," ac ynghanol ein, "rhwysg a'r rhemp," a gweld y sawl sy'n "sefyll ac yn cynnwys" ac yn "bwrw ei rwyd amdanom."

"Tyst pob tyst, cof pob cof, hoedl pob hoedl,
Tawel ostegwr helbul hunan."

Fel Cymdeithas cydnabyddwn yr Enaid Mawr a gafwyd yn Waldo, a diolchwn yn wylaidd am hynny ac amdano.

194. Yng Nghapel Bethania, Aberteifi, Dydd Iau, Awst 5, 1976, y traddodwyd 'Portread Personol' o Waldo.

195a/b. Yn Eisteddfod Genedlaethol Abergwaun a'r cylch, 1986, union hanner canrif wedi i Waldo gystadlu am Gadair yr Eisteddfod Genedlaethol yn Abergwaun ym 1936, cynhaliodd y Crynwyr gyfarfod 'i ddiolch am y gras ym mywyd Waldo Williams, Crynwr a Bardd'. Cynhaliwyd y gwasanaeth yn Nhŷ Cwrdd y Bedyddwyr. Y mae'n arfer gan Fedyddwyr Sir Benfro i alw'r capel yn Dŷ Cwrdd – elfen arall sy'n gyffredin rhwng y Bedyddwyr a'r Crynwyr. Oherwydd meddai Waldo:

'Ni chefais bethau newydd ganddynt ychwaith (sef y Crynwyr): ond pwyslais a datblygiad ar bethau y deuthum i'w hadnabod o'r blaen ymhlith y Bedyddwyr.'

196

197

198

198. Aelodau o Gymdeithas Addysg y Gweithwyr Gogledd Cymru wrth Gofeb Waldo, Mai 1993.

Aeth Cofeb Waldo yn gyrchfan pererindodau, a daw llawer i gomin caregog Rhos Fach i gael golwg ar y Gofeb.

196. Lluniwyd y plât tseini arbennig (10" mewn pedwar lliw) yn y Gyfres Cofio Beirdd, rhif cyfyngedig i 200. Cynlluniwyd y plât gan yr artist–grochenydd Harvey Thomas a'i gynhyrchu gan Malcolm Griffiths yng Nghrochendy Felingwm ger Caerfyrddin.

197. *Dail Pren* : argraffiad Newydd, 1991. Cynlluniwyd y siaced gan Rhian Davies:

199

199.

Nos da, gymwynas Dewi,
A'i dir nawdd. Dyro i ni,
Yr un wedd, yr hen addaw
A thŷ llwyth nid o waith llaw.

'Tŷ Ddewi'

RHAI DYDDIADAU

1904 – Medi 30	Geni Waldo Goronwy Williams yn Hwlffordd.
1911	Y teulu'n symud i Fynachlog-ddu, lle'r aeth tad Waldo, J. Edwal Williams, yn Brifathro'r Ysgol Gynradd yno.
1915 (Ionawr)	Y teulu'n symud i Landysilio ar ôl i'r tad gael ei benodi'n Brifathro yno. Yr oeddynt yn bump o blant – tair merch: Morfydd, Mary, Dilys, a dau fachgen: Waldo a Roger. Prin dri mis ar ôl cyrraedd Llandysilio bu farw Morfydd.
1923 – 1927	Myfyriwr yng Ngholeg Prifysgol Cymru, Aberystwyth, lle cafodd radd Anrhydedd mewn Saesneg.
1928 – 1941	Athro mewn ysgolion cynradd ledled Sir Benfro.
1941 – Ebrill 14	Priodi Linda Llywelyn yng Nghapel y Bedyddwyr, Blaenconin.
1942 (Ionawr)	Symud i Ysgol Botwnnog.
1943	Marw Linda.
1944	Diwedd tymor yr haf. Ymadael â Botwnnog.
1945 (Chwefror)	Ymuno â staff Ysgol Uwchradd Kimbolton.
1950	Dychwelyd i Gymru a dysgu am gyfnod byr yn Sir Frycheiniog
1951 – 63	Athro dosbarthiadau Nos Adran Efrydiau Allanol, Aberystwyth.
1963 – 1969	Dychwelyd i ddysgu Cymraeg ail-iaith mewn Ysgolion Cynradd yn Sir Benfro. Bu'n athro yn yr ysgolion canlynol: Ysgol Gatholig Doc Penfro, Ysgol Gynradd Barham, Ysgol Gatholig Abergwaun ac Ysgol Gynradd Gwdig.
1970 (Ionawr)	Ei daro'n wael. Cafodd drawiad a effeithiodd yn ddrwg ar ei leferydd. Treuliodd fisoedd olaf ei fywyd yn Ysbyty Sant Thomas, Hwlffordd.
1971 (Mai)	Dydd Iau Dyrchafael bu farw Waldo.

Diolchiadau

I Miss Dilys Williams y mae'r diolch pennaf am gymorth parod a helaeth iawn i ddod â'r gwaith hwn i ben. Yn ôl ei harfer bu'n garedig iawn a hi a fenthycodd nifer helaeth o luniau personol y teulu ar gyfer y gyfrol. Heb yr haelioni hwn ni fyddai'n bosibl dod â'r gwaith i ben.

Bu Marian Delyth yn barod iawn i gynorthwyo, gan wneud sawl taith i Sir Benfro er mwyn cael y lluniau gorau posibl o'r llecynnau sy'n berthnasol i *Dail Pren*.

Pwysais yn drwm iawn ar fy nghyfeillion Steffan Griffith, Neyland, Ben G. Owens, Aberystwyth, ac Alun Evans, Cas' Mael. Yr oedd eu cymorth hwy yn amhrisiadwy.

Cydnabyddiaeth lluniau:
Cyngor y Celfyddydau 76, 144, 171, 173
Amgueddfa Genedlaethol Cymru 162
Llyfrgell Sir Benfro, Adran Diwylliant 47a
Llyfrgell Genedlaethol Cymru 30,135
Yr Academi Gymreig 135
Alexander Keiller Museum, Avebury 115
Archifdy Sir Benfro 47b
Western Telegraph 154
Yr Athro J. Gwyn Griffiths 94
D. G. Pritchard 95, 96
Marian Delyth 48, 61, 62, 65, 66, 69, 70, 71, 72, 73, 74, 80, 81, 82, 83, 85, 86, 87, 88, 104, 105, 121, 128, 149, 169, 170, 179, 180, 199

Diolch i'r canlynol hefyd am luniau:
Miss Dilys Williams, Leslie Mckensie, Peter a Cheril Phillips, Stephen Griffiths, Yr Arglwydd Gordon Parry, Graffiti, D. G. Hampon, *Evening Post*, Donald Pritchard, Gruffydd Parry, Y Parchedig Eirian Davies, Dillwyn Miles, Y Crynwyr, Brenda Lewis, Eirwyn Charles, Bobi Jones, Robin a Dyfed Ellis Gruffydd, Mrs W. R. Evans, Miss Wendy Davies, Dewi Jones, Y Parchedig Tom Michael, Nest Williams, Eurwyn Charles, Ruthy James, Harvey Thomas, Mrs M. Roach.

Y mae fy niolch yn ddiffuant iawn i Barddas am barodrwydd i gyhoeddi'r gwaith ac i'r Prifardd Alan Llwyd – un o brif gymwynaswyr ein llên – am fod mor barod i groesawu'r gwaith, a'i ddiogelu ar y ffordd i weld golau ddydd.

Diolch o galon i bawb.

James Nicholas